北京古籍叢書

光緒順天府志

[清]周家楣 [清]繆荃孫 編纂
左笑鴻 點校

第十册

圖書在版編目（CIP）數據

光緒順天府志．第十册／（清）周家楣，（清）繆荃孫編纂；左笑鴻點校．— 北京：北京出版社，2018.2
（北京古籍叢書）
ISBN 978-7-200-13596-1

Ⅰ．①光… Ⅱ．①周… ②繆… ③左… Ⅲ．①北京—地方志—清代 Ⅳ．① K291

中國版本圖書館 CIP 數據核字（2017）第 282999 號

項目策劃：安　東　　　項目統籌：許　可
責任編輯：喬天一　許　可　　　責任印製：宋　超
裝幀設計：郭　宇

北京古籍叢書

光緒順天府志

第十册

[清]周家楣　[清]繆荃孫　編纂

左笑鴻　點校

出　版　北京出版集團公司
　　　　北京出版社
地　址　北京北三環中路六號
郵　編　一〇〇一二〇
網　址　www.bph.com.cn
總發行　北京出版集團公司
經　銷　新華書店
印　刷　北京京華虎彩印刷公司
開　本　八八〇毫米×一二三〇毫米　三十二
印　張　十七點五
字　數　三一六千字
版　次　二〇一八年二月第一版
印　次　二〇一八年二月第一次印刷

書號　ISBN 978-7-200-13596-1
定價　128.00 圓

官師志十

國朝官師表

德清傅雲龍纂 江陰繆荃孫覆輯

國朝官師廢置，詳經制，官斯土者，表凡十有八，兼尹以下官第一，州、縣官第二，州同第三，縣丞第四，州判第五，主簿第六，吏目、典史第七，巡檢第八，總督分司第九，道第十，同知第十一，通判第十二，大使第十三，司獄第十四，驛丞第十五，閘官第十六，學官第十七，都統、提、鎮第十八，散見他書注出處，采之志册不注，省文也。作國朝官師表。

國朝監尹以下表一

	兼尹	尹	丞	治中	通判	經歷	照磨 司獄	推官 知事 檢校 庫大使 張家灣

	順治年	康熙二年
	王來任 字宏宇，漢軍正黃旗人，天聰八年舉人，康熙元年遷撫鄖陽。（據一統志）	甘文焜 詳傳。
	王登聯 貢生，遷自通政司參議，謚愨愍。（據先正事略）	
		汪湄 照磨，董修學校工。
宣課大使 崇文門大使 上已廢。 副使	薛宗智 江蘇無錫人，由山東莘縣知縣遷推官。	

五			高爾位（據王崇簡學宮碑記）				
七		王景祚 詳傳。					
十年前		許言禮 字典三，安陽人，辛丑進士，遷左副都御史。（據錢林徵存録）					
十二		魏象樞 山西蔚人，丙戌進士，庶吉士，遷自左僉都御史。（據先正事略）					

二十一			張鵬整飭學宮。					
二十六		衛既濟詳傳。						
三十一		吳涵石門人，三十一年任。（據雲麾將軍斷碑記）						
年未詳		宋文運南宮人，進士。 劉元慧正定人，進士。按：已上二人，畿輔唐志列甘國樞前，而題名碑未載。						

三十九		甘國樞 奉天人。						
四十一		錢晉錫 江蘇太倉人，進士。						
四十三		汪晉徵 休甯人，進士。						
四十四		祖允圖 奉天人。						
四十五		施世綸 詳傳。						
四十九		屠沂 湖北孝感人，進士。						
五十三		王懿 山東膠州人，進士。						

五十五		余正健福建古田人，進士。						
五十六		俞化鵬安徽壽州人，進士。						
五十九					崔應階湖北人，廕生，遷保定府同知，官至左都御史。			
六十一		陳守創江西人，進士。						
年未詳		宋文尹詳傳。						
雍正元		張坦麟						

年		湖北漢陽人，辛卯舉人，官至江蘇布政使。						
二		張令璜 山東東阿人，己丑進士，官至吏部侍郎。						
三		劉師恕 江蘇寶應人，庚辰進士。						
四		劉於義 江南武進人，壬辰進士。						
五	史貽直 户部侍郎兼尹，諡	申大成 江蘇江都人，舉人，						

	六	七
文靖。（據先正事略）餘詳尹。		
官至工部侍郎。按：畿輔唐志云六年任，今據題名碑。孫嘉淦詳傳。	謝王寵陝西甯夏衛人，丙戌進士。孫嘉淦再任，詳傳。按：畿輔唐志云，八年任。	陳良弼漢軍人。史貽直
		王符（據學宮碑）
		楊國聲
		楊崑安徽人，廩生，遷户部貴州司員外，轉刑部
		許準（據學宮碑）

		江蘇溧陽人，庚辰進士，署，餘詳兼尹。			湖廣司郎中。			
十		張照 江蘇華亭人，己丑進士，由刑部左侍郎署。（據先正事略） 焦祈年 山東人，進士。						
十一					田爾易 直隸人，舉人，遷自甘肅知縣。			
十二		陳世倕						

	十三	年未詳
浙江海鹽人，己丑進士。	孫國璽漢軍人，辛丑進士，官至安徽巡撫。	
		余甸字田生，福建福清人，丙戌進士，世宗朝入爲丞。（據先正事略） 呂耀曾河南新安人，丙戌進士，己卯鄉試，奏增號舍千六百有

			奇。（據歸愚文續十）					
乾隆元年					申夢璽山西人，六月任，官至廣西布政使。			
三					方道永江蘇人，廩生，十一月任。			
五					梁翥鴻陝西人，廩生，十月任，遷刑部員外，官至山東河道總督。			
十					張文燽山西人，廩生，十			

					一月任，遷刑部員外。			
年未詳		蔣炳 江蘇陽湖人，丙午舉人。						
十三		胡寶瑔 詳傳。						
十四		馬熺 江蘇常熟人，己酉舉人。						
十六					胡季堂 字雲坡，河南光山人，廕生，十月任，遷刑部員外。			

	年未詳
	蔣炳詳尹。 胡寶瑔詳尹。
	熊學鵬江西南昌人，庚戌進士。 羅源漢湖南長沙人，癸丑進士。 蔣元益江南長洲人，乙丑進士。 葛峻起虞城人，癸丑進士。 歐陽瑾
（據先正事略）餘詳兼尹。	

		江西分宜人，進士。裘曰修 江西新建人，己未進士。						
十八	李因培 詳傳。							
十九	劉綸 詳傳。	程盛修 秦州人，庚戌進士。程巖 江西鉛山人，己未進士，官至吏部侍郎。按：二人據府題名碑，均云						

	二十三	二十四	二十
			錢汝誠
十九年任，而碑序參差。陳兆崙詳傳。			
	張松陝西人，進士，十二月任。	王煒山東人，三月任。周模江蘇人，貢生，二月任，遷户部江西司員外。	
			王信臣

六	字立之，浙江嘉興人，戊辰進士，官至刑部侍郎。（據先正事略）						浙江山陰人，任司獄。	
二十九		竇光鼐 詳傳。		程轍 字天衢，河南永甯人。		張天昇 山西代州人。	蕭應輝 浙江山陰人，任照磨。	
三十一					黃簪世 山東人，貢生，十二月任。			
三十五		竇光鼐 再任，詳傳。			趙振朝 山西人，貢生，七月任。		周宗疇 福建甯化人，貢生。	王信臣 詳司獄。
三十六					陳燕祚 浙江人，貢生，遷			

					自通政司知事，二月任。			
三十七	裘曰修 詳尹。	吉夢熊 詳傳。	卜甯一 山東日照人，己未進士。	唐尹 廣西臨桂人，舉人。				
三十八					李宏勳 江蘇人，十二月任。			
年未詳	熊學鵬 詳尹。 蔣元益 詳尹。	劉純煒 山東諸城人，己未進士。 蔣連 江南常熟人，己丑進士。 陳守創						

	三十八
	蔣賜棨 字戟門，江蘇常熟人，由貢生捐知府，以户部侍郎兼管。
江西高安人，甲戌進士。 張鳴鈞 浙江烏程人，乙未進士。 顧汝修 四川華陽人，壬戌進士。 申甫 江西鉛山人，己未進士。	

年未詳	袁守侗山東長山人，甲子舉人，官至工部尚書，謚清愨。							
三十九	胡季堂曾任通判，官刑部右侍郎，兼尹，官至尚書，謚文良。（據先正事略）				李仁謙直隸人，廕生，三月任。			
四十					陸昌祖浙江人，進士，五月任。			
四十	蔣賜棨				周煐江蘇			

二	再任。				人，監生，十月任，立題名碑，四十九年遷刑部浙江司員外。			
四十三		吴綬詔，安徽歙人，戊辰進士。按：題名碑失年分，今據金石萃編李秀碑跋。						
四十九					許學歐，浙江人，監生，十二月任，五十四年十月遷户部江西司員外。			

年未詳	五十	五十四	五十五
曹文埴 安徽歙人，庚辰傳臚，諡文敏。			
虞鳴球 江南金壇人，進士。	吳省欽 江蘇南滙人，丁丑召試，癸未進士。		汪承霈 字春農，安徽休甯人，以主事入直軍機處，遷自通政司。（據先正事略）
		馬愚 山西人，舉人，十二月任。	

年未詳		莫瞻菉字以莊，河南盧氏人，壬辰進士。						
嘉慶元年	張若渟字壽雲，安徽桐城人，貢生，捐主事，官至刑部侍郎兼尹，五年擢兵部尚書，仍兼管府尹。（據先正事略）							
四		百齡由府丞兼署。	百齡字菊溪，漢軍正黃旗					

			人，壬辰進士，由奉天丞調任，兼署府尹。（據先正事略）					
五	汪承霈 兵部尚書兼尹，餘詳尹。							
六	戴衢亨 江西大庾人，戊戌一甲一名進士，兵部尚書兼尹，官至大學士，謚文端。（據先正事略）							
年未詳				許學范 詳傳。				

七		閻泰和山西平遥人。
九	莫瞻菉官至工部侍郎，詳尹。	章煦浙江錢塘人，壬辰進士，官至協辦大學士，謚文簡。
十		嵇承志江南無錫人，舉人。
十一		秦瀛字小峴，江蘇無錫人，丙申獻賦行在，賜內閣中書。（據先正事略）

十二	十三	十五
曹振鏞 字儷笙，安徽歙人，辛丑進士，以户部尚書兼尹，謚文正。	劉權之 湖南長沙人，庚辰進士，官至大學士，謚文恪。	
宋鎔 長洲人，壬辰進士。		李鋐 山東壽光人，壬午舉人。 初彭齡 字頤園，山東萊陽

		人，進士，庚子官至尚書。帥承瀛漢陽人，丙辰進士。						
十六		李鈞簡黃岡人，己酉進士。						
年未詳	鄒炳泰字曉坪，江南無錫人，壬辰進士，官至協辦大學士。			倪景點十七年兼攝大興知縣。				
十八	劉鐶之字信芳，山東諸城人，乙酉進士，以	費錫章浙江歸安人，甲辰舉人。						

	兵部尚書兼尹，謚文恭。							
二十二	章煦 詳尹。	甘宗斌 四川人，進士。						
二十三	王鼎 字省崖，陝西蒲城人，以户部尚書兼尹，官至大學士，謚文恪。							
二十四		汪如淵 詳傳。						
二十五		申啟賢 字鏡汀，河南延津人，壬戌進士。						

道光元年	初彭齡 詳尹。 盧蔭溥 字南石，山東德州人，辛丑進士，官至大學士，諡文肅。
二	初彭齡 再兼尹。
三	顏檢 字惺甫，廣東連平人，丁酉拔貢，以禮部侍郎署。
四	陳若霖 字望坡，福建人，

	五	六	八
乙未進士，以工部尚書兼尹。 陸以莊 字平泉，浙江蕭山人，丙辰進士，以工部尚書兼尹，謚文恭。			王宗誠 字蓮府，安徽青陽
	朱爲弼 字椒堂，浙江平湖人，乙丑進士，左遷丞。	何凌漢 詳傳。	
		朱爲弼 六月任。	

	人，庚戌探花，以兵部尚書兼尹。							
九	李宗昉 字芝齡，江蘇山陽人，壬戌榜眼，以户部侍郎署。							
十	申啟賢 以工部侍郎兼署，謚文恪，餘詳尹。			沈鋭 六月由薊州知州署，後遷南路同知，餘詳薊州傳。				
十一	戴宗元 字南江，安徽來安人，戊辰進士，以	徐鏞 字詠之，安徽桐城人，己巳進士。						

	刑部侍郎署。							
十二			李□□五月任。					
十三	何凌漢詳傳。	吳傑字梅梁，浙江會稽人，甲戌進士。						
十四			吳□四月任。					
十五	史譜字荔園，山東樂陵人，乙丑進士，以兵部侍郎兼尹。	牛鑑字鏡堂，甘肅武威人，甲戌進士。李振祜字錫民，安徽太湖人，辛酉進士署。						

	十六	十八	十九
		朱士彥 字詠齋，江蘇寶應人，壬戌進士，以吏部尚書兼尹，謚文定。	卓秉恬
蔡世松 江南上元人，辛未進士。 田松年 山西盂縣人，庚辰進士。	曾望顔 字卓如，廣東香山人，壬午進士。		
		楊本濬 十一月由南路同知署，十九年三月去。	

	字海帆，四川華陽人，壬戌進士，以兵部尚書兼尹，謚文端。							
二十		楊殿邦 字疊雲，安徽泗州人，甲戌進士，官至漕運總督。			嚴耿 浙江仁和人，監生，遷自通政司知事，二十一年署北路同知。			
二十一		徐廣縉 字仲紳，河南鹿邑人，庚辰進士，官至兩廣總督。						

二十二		李德 字吉，陝西華陰人，壬午進士，官至山東巡撫。						
二十三		陳孚恩 字子鶴，江西新城人，乙酉拔貢，署，官至刑部尚書。						
二十四			龔□□ 九月任。				程仁傑 湖北江夏人，任照磨，後歷良鄉、三河知縣。	
二十五			汪□□ 十二月任。	喻元升 康果齡	康果齡	賈棨春 署。	張嘉福 照磨。	胡嗣起 副使。

				由通判兼署。			魏朝 司獄。 沈鏞 署司獄。	
二十六		葉名琛 字崑臣，湖北漢陽人，乙未進士，官至兩廣總督。 汪本銓 字衡甫，江蘇陽湖人，己丑進士。	張□□ 四月任。	喻元升 回任。		汪濤 署。 薛榮 歷知密雲、良鄉縣事，詳良鄉傳。	袁太華 司獄。	
二十八		黃贊湯 字莘農，江西廬陵人，癸巳進士，署。	陳寶禾					

		，官至廣東巡撫。						
二十九		陸應穀 字稼堂，雲南蒙自人，壬辰進士，官至河南巡撫。						
三十		王慶雲 字雁汀，福建閩人，己丑進士，官至四川總督，工部尚書，謚文勤。		康果齡 再由通判兼署。		潘濟 署。	馮蘭馨 照磨。	
咸豐元年		鄒鳴鶴 字忠泉，江蘇無錫人，庚辰進士，官		楊春和 李朝儀 八月由大興知縣兼		王鍾 山西安邑人，監生，八年遷知三河縣。		

	二	三
		翁心存 詳傳。 賈楨 字筠堂，山東黄縣人，道光丙戌榜眼，以
至廣西巡撫。 龔之齡 字西園，福建侯官人，庚辰進士，署，官至工部侍郎。	宗元醇 字曉堂，河南魯山人，壬辰進士。	
	張錫庚 三月任。	
署，二年二月去。		
		劉鎧。署 符泰鴻
		閻知年 司獄。
	屠承清 副使，十年去。	

	四
吏部尚書兼尹，官至大學士，謚文端。	
	李鈞 字夢韶，直隸河間人，丁丑進士，署。 楊霈 字慰農，漢軍鑲黃旗人，壬辰進士，官至湖廣總督。 譚廷襄 字竹崖，浙江山陰人，癸巳進士。
	湯修 二十月任。
	石贊清 字襄臣，貴州貴筑人，戊戌進士，後遷府尹。
	耿垂紳 署。

五	六
周祖培 字芝臺，河南商城人，己卯進士，以兵部尚書兼尹，官至大學士，謚文勤。	譚廷襄 以刑部侍郎兼尹，官至刑部尚書，謚端恪，餘詳尹。 張祥河 字詩舲，江蘇婁人，庚辰進士，以刑部侍郎兼尹，官至
蔣琦淳 字申甫，廣西全州人，庚子進士。	曾望顏 再任。 黃宗漢 字壽臣，福建晉江人，己未進士，官至兩廣總督。
蔣達 十月任。	
	蔣大鏞 江蘇無錫人，甲辰進士，六月任。
蕭鼎禧 江西人。	
	查光泰 浙江海甯人，五月任司獄，同治五年遷經歷。

	工部尚書，謚温和。							
七		梁同新 字矩亭，廣東番禺人，丙申進士。					查光泰 由司獄兼署照磨。 袁駿 六月任照磨。	
八		吴鼎昌 字新之，江蘇上元人，辛丑進士。 董恂 字醖卿，江蘇甘泉人，庚子進士，官至户部尚書。	毛昶熙 字旭初，河南武陟人，乙巳進士，官至兵部尚書。			唐鉞 浙江會稽人，吏員，四月任，後遷知密雲縣。		
九					顧承惠			
			吴□□		浙江會稽人，八月			蕭端成

	十一	同治元年
	萬青黎 字藕舲，江西德化人，庚子進士，以禮部尚書兼尹，官至吏部尚書，光緒五年與周家楣奏修府志。	
	毛昶熙 九月任。	林壽圖 字穎叔，福建閩人，乙未進士。
五月任。	曹□□ 十二月任。	林壽圖 二月任遷尹。 卞寶第 字頌臣，江蘇儀徵人，辛亥舉人，九月任，遷尹。
	陶彥壽 江蘇長洲人，監生，由刑部員外郎改官同知，二月署，歷西路、北路、南路同知。	
任。		
		劉履泰 江蘇丹徒人，監生，署司獄。
副使。	黃棟 副使。	

二	三	四	五
卞寶第 遷福建巡撫。			劉琨 字韞齋，雲南景東廳人，辛丑進士，署。
任兆堅 山東高密人，壬子進士，十月任。	龔自閎 浙江仁和人，甲辰進士，十二月任。		
卞寶書 由滄州知州署。 陶彥壽 六月又由署西路同知兼署。		喬文蔚 山東高密人，甲辰進士。	
唐鉞	顧承惠 四月復任。		
			查光泰 十月遷自司獄，十三年知三河縣。

	六	九
遷湖南巡撫。胡肇智 字霽林，安徽績溪人，丁酉拔貢生，官至吏部侍郎。	王榕吉 字蔭堂，山東長山人，甲辰進士，遷自山西布政使，九年立兼尹、府尹題名碑，遷大理寺卿。	梁肇煌 字檀甫，廣東番禺
		張緒楷 七月任，河南固始
	高林 六月任。	韓端培 閏十月任。
	潘崇禮 署司獄。李恩綸 七月任司獄。	

		人，癸丑進士。	人。					
十				陶彥壽再署。王堃署。				
十一				蕭履中二月遷自南路同知。			鄭延慶署司獄。孫緒署司獄。	吴賡韶副使。
十二		彭祖賢字芍亭，江蘇長洲人，乙卯舉人，四月任。	張澐卿字霽亭，雲南太和人，壬子進士，十二月任。		厲能官署。		曹友泰字子恭，浙江錢塘人，監生，九月任照磨。王沃甫四川廣安人，監生，任司獄。	

十三		楊慶麟 字振甫，江蘇吳江人，庚戌進士，六月任，官至廣東布政使。			陳象瀛 山東榮城人，貢生，七月任。			
光緒元年		吳贊誠 字春帆，安徽廬江人，己酉拔貢，十月任。				葉常芳 署。 王熙齡 三月任，三年卒。		
二		張澐卿 三月任，官至工部右侍郎。	楊鴻吉 字雁湖，江蘇人，壬子進士。 王家璧 字孝鳳，湖北人，					

	三	四	五	六
				童華 字薇研，浙江鄞人，道
	彭祖賢 十二月再任，遷湖北巡撫。	周家楣 字小棠，江蘇宜興人，己未進士，七月任，五年奏修府志，丁艱。	梁肇煌 再任，六年遷江甯布政使。	李朝儀 二月任，詳傳。
甲辰進士，二月任。	潘斯濂 廣東南海人，丙辰進士，三月任。			王家璧 二月復任。
				王啟俊 代理。
	葉常芳 署。	范思本 字春棠，浙江會稽人，供事，七月任。		

	七
光戊戌進士，以都察院左都御史兼尹。	
	張凱嵩 字月卿，湖北江夏人，乙巳進士，四月署，遷四川按察使。 游百川
李宏謨 字仲遠，河南祥符人，丙辰進士，三月任，卒。 朱以增 字硯生，江蘇新陽人，乙丑進士，十一月任。	胡義質 字鐵龕，河南光山人，咸豐丙辰進士，遷自兵部郎中。
鄒在人 遷自西路同知。	鄭沂 遷自北路同知。

	八	十
	畢道遠 字東河，山東淄川人，辛丑進士，以都察院左都御史兼尹。	
字梅溪，山東濱州人，壬戌進士，閏七月任，續刊府尹題名碑。	周家楣 服闋，二月復任，遷通政司。	沈秉成 字仲復，浙江歸安人，丙辰進士。
		楊頤 字蓉浦，廣東茂名人，乙丑進士，遷自翰林院侍講。
		查光泰 字如江，浙江海甯人，遷自涿州知州，覆校志書。
	周之辰 字東山，浙江山陰人，監生。	

國朝州縣表二上

	順治元年	二
大興知縣		黃廷柏
宛平知縣		
良鄉知縣	劉舜濬 貴州人，舉人，累遷常德知府。	董應魁
固安知縣		劉有新
永清知縣	李延 浙江上虞人，貢生。	
東安知縣	鄭以誠 調南陽，詳明表。	劉應坤
香河知縣	呂起渭 詳傳。	佟鳳彩
通州知州 漷縣知縣 省入通州	李廷梅 奉天廣甯人，貢生，遷通州兵備道，口通州知州，不注。 成躍龍 山西襄陵人，貢生，知漷縣。	李印昌

	三	四
漢軍正白旗人，由靈璧知縣以才調任，三年遷知汾州府，遇害，贈太僕卿。（據一統志）		
遼東人，官至廣東巡撫。 徐應召 遼東人，遷知蘇州府。		
遷自明固安典史。	魏爾康 山東濟甯人，進士。	朱國治 漢軍正黃旗人，本撫順人，拔貢，以政最，遷霸昌道。（據一統志）
	龐大樸 山西高平人，進士，重學校。	
遼東人，貢士，息訟弭災。	王鼎胤 山東淄川人，進士，決疑獄。	王晉 山東掖人，進士。
詳傳。		
奉天人，累遷易州兵備道。	張斌 詳傳。	張萬春 奉天人，遷□□同知。 胡朝賓 奉天人。

五	六	七	八
張士彪詳傳。			
程鼎勳遼東錦人，貢生。			
夏時昌滿洲人。生員。	塗應旗遼東鐵嶺人，選貢，遷知山東沂州府。		
		吳興宗浙江山陰人，戊子貢士，遷知嚴州府。（據吳氏譜）按：通州高志云奉天人。	祁彥詳傳。

九				賈一奇 字天倖，江西新建人，累官山東青州道，名宦。	馬有用 遼東甯遠人，貢生，罰不遺勢貴。	宗良弼 詳傳。		楊必達 奉天人，遷知□府。
十			姚隆運 陝西人，輕徭役，卒。					
十一			魏象乾 陝西富平人，舉人，遷順德通判。	靳丹衷 河南盧氏人，舉人。		樊芳春 陝西涇陽人，舉人，剔蠹嚴。		于榮 奉天人，遷知府。
十二								師佐 河南人，進士，遷蘇州同知。

十三	十四	十六年 前
		吴聞詩遷刑部主事。 馬廷對江南上元人，舉人。 朱永昌遼東遼陽人，貢士。 孫光啟遷户部主事。
丁楝福建同安人，貢生。		
蘇兆元福建福甯人，舉人。		
		方民孝遼東人，生員，卒。 劉楝坿佟鳳彩傳。 劉一玿坿佟鳳彩傳。
	吴柱奉天人，遷潞安兵備道。	李開春奉天人，貢生。知瀞縣，下六人同。 石登科奉天人，貢生。 成良藩山東黄縣人，貢生。

	十六
	齊大岳字君山，鄘州人，拔貢，遷知山西平定州，名宦。
黃朝薦河南長葛人，進士。朱天相浙江人，貢生。周士賢奉天人，貢生。吳良誨江西南昌人，舉人。	鄭駿江南人，貢生，知漷縣，請裁。葛茂春浙江人，貢生，知

	十七	十八	年未詳
			楊朝公 遼東遼陽人，貢士，遷知端州府。 吳一位 滿洲人，貢士，遷知蘇州府。 祖植梅
			楊煇一 劉澤延 張思明 藺一元 劉成才 于汝翼
	陳啟哲 江南人，明經。	黃廷旦 福建人，舉人，遷禮部祠祭司主事。	
		王業隆 陝西平涼衛人，歲貢，興學校，遷四川崇慶州。	
			曲聖凝 山東甯海人，丙戌進士，降職，復知漢陽縣。 姜調鼎 坿佟鳳彩傳。 邱應登
漷縣，省入通州。			

康熙二	年	三
未任。 **崔萬仞** 遼東人，貢士。 **張漢傑** 遼東遼陽人，貢士，遷知嘉興府。 **齊洪勳** 高陽人，進士，遷紹興同知，歷正定知府。		
		口胤瑗
		張言颺
坿佟鳳彩傳。		
	張民望 奉天人，降知樂陵縣，遷中書。	

	五	六	七	八
		邱璐山東淄川人，遷揚州同知。		陳正己
江南人，明經。		李熙隆陝西人，明經。		
廣東南海人，舉人。		張志卓陝西扶風人，進士。	佟國琦遼東人，廕生，廉且能，遷兵部車駕司主事。	
	張有傑江西臨川人，進士，編審有法，歷工部郎中。			
				李長煒
		歐陽世逢湖北黃陂人，貢生。		

	陝西富平人，舉人。					江南高郵人，恩貢。		
九			程良器 江西人，進士。	徐奇功 湖廣江夏人，舉人。	連應鄭 詳傳。	丁爾發 浙江義烏人，舉人，善釐奸。		甯完福 奉天人，廩生，有善政，修新、舊二城，名宦。
十	張幼學 江南人，舉人。		李慶祖 詳傳。	陳祝升 山東濰人。		王士美 詳傳。		閻興邦 詳傳。
十二	張茂節 江南沭陽人，拔貢。				萬一鼒 江南丹徒人，舉人，聽訟平，緩追呼。	侯應封 遼東甯遠人，杜賄，善折獄。		
十三				王錫韓 字雲岩，山西太平				

	十四	十五	十六	十七
		單父牧 山東高密人，拔貢。		
人，進士，有善政，名宦。				王祚明 保定慶都人，舉人，以固安教諭署知
	李大章 江南丹徒人，廩生，愛民禮士，刊縣志，繕城池。			
	劉深 詳傳。			黃良佐
			梅時萼 遷自州同。	

				縣。王尊山西平陽人，監生。				
十八				衛既齊詳府尹傳。	丁棟再任。			于成龍詳傳。
十九	張茂節再任。			吳夢柱廣東人，舉人。				
二十						吳兆龍江南宜興人，舉人。		
二十一				陳國祝湖廣人，進士。				傅澤洪詳傳。
二十二		王養濂陝西人。						

二十三年前
周世禄 遼東廣甯人，貢士，遷揚州同知。 周士濬 河南商城人，貢士，遷陝西慶陽同知。 楊柱臣 湖廣棗陽人，貢士，遷廣西柳州同知。 劉希孔 陝西威甯人，遷山東東昌同知。
傅菊 遼東人，任一年，行取兵部車駕司主事，未離任，卒。 温應奇 字子正，陝西南鄭人，辛丑進士，不受私謁。

	二十三
曾大升福建侯官人，舉人。 趙世顯遼東遼陽人，廕生，遷□部主事。	
	李本宸江南盱眙人，監生。 汪惟琦由霸州知州署。 何納江南崑山人，進士，由保定知縣署。 武廷括

	二十四	二十五	二十六
山西大同人，歷四載，民立去思碑，遷東路同知，官至廣東按察使，名宦。			陳應吉 浙江會稽人。
	陳國祝		
		顧勤墉 浙江嘉善人，監生。 耿振采 江南人，進士。	柯願 福建龍溪人，進士。
			方熺 江南江甯人，遷知保定

				郭峻 浙江新城人，副貢，善決獄，三十一年以公累去，名宦。		程俊 鑲白旗人，監生。		府。李會生 詳傳。
二十七					王言 江西新淦人，乙未進士。			
二十八						梁纘祖 正白旗人，監生。		程俊 詳傳。
三十一				張鼐 奉天人，署。徐天德 江西豐城人，創北				王光謨 詳傳。

				關義學，名宦。				
三十二				許天馥 江南蕪湖人，歲貢，署。 任一元 奉天人，監生。		董廷榮 鑲黃旗人。 錢昇 浙江仁和人，招民。		吳存禮 詳傳。
三十五年前			趙廷錫 陝西延安人，進士。 李訟鄴 四川人，進士。 黃傑 癸卯舉人。 張弘毅 建固節驛義學。					

			李蔭龍					
三十六			傅作楫詳傳。			葉鼎福江南無錫人，監生。		
三十七				蕭士蟠奉天人，監生，署。 張夔詳傳。	祖良屏旗人。 柯永志			
三十八				蕭士蟠再署。 祖應世奉天人，監生。				武登科奉天錦縣人，廉且惠，以憂去，名宦。
三十九			楊嗣奇字紫口，修縣志。	楊馝詳傳。		王友直正白旗人。		祖應世奉天甯縣人。

					蘇振聲陝西長安人，監生，署。			
四十								靳讓詳傳。
四十一					張安世奉天人，歲貢，清積弊，遷知保定府，名宦。駱永齡舉人，署。王奕宣奉天人，監生。			
四十二								許毓芳詳傳。

四十三	四十五	四十六	五十三	五十五	五十
		李長華奉天人，監生。鄭善述詳傳。			
路永齡				郭惺河南人，監生。	
	周士璵湖廣沔陽人，進士，興學校。		杜琨立義學。		梁兆吉
	王友直奉天人。			王之琦浙江山陰人，遷南岸同知。	

六							廣西永甯人，進士。		
五十八									朱英 湖廣漢陽人。
五十九							周道裕 湖廣應城人，進士。		
年未詳								齊士龍 浙江太平人，恩貢。 王宗本 由良鄉縣丞署。	
雍正元年							吴時亨 江南宜興人，監生。		李麟葉 正黃旗人。 黃成章

								詳傳。
二	高純嘏二月任。張勤望二月任。曹維翰三月任。				宋晶			
三						傅樹棠河南登封人，進士。		
四	程鶴齡四月署。范燦六月任。					徐裕慶陝西蒲城人，進士。		
五	程鶴齡十二月再署。				駱爲香	戴謨浙江錢塘人，貢。		

六	莊柱 三月任。				朱檠 浙江海甯人，甲辰進士。	石聲聞 山東長山人，舉人。		吳問郯 浙江錢塘人，舉人。
七								朱煌 浙江長興人，監生。
八年前				張泰 江蘇山陽人，監生。				
八		王國美（據學碑）		倪岱				
九					蔡學頤	劉遜 山東沂水人，貢生。 張拔 山東平陰人，舉人。		

十					楊仁育雲南人，舉人。			
十一				單鋐	丁廷植山東諸城人，庚戌進士。			
十二	王國英十月署。							
十三	張金熹正月任。							
乾隆元年				王哲輔詳傳。				韓亦詩山西沁水人，增貢。
二	吴銓十一月署。			韓國瓚	徐開第山西保德人，庚戌進士。			

三年前					陳琮詳傳。				
三	李桓三月任。								
四	吳銓四月再署。唐續祖十月任。					袁鯤化江南人，監生。	林鵬飛廣東潮陽人，進士。莊學愈江南武進人，舉人。		劉遜詳固安。
五						李瓚江南人，監生，遷北路同知。	徐世彬江西德化人，拔貢，去後，民立碑。		
六							張鴻疇		杜甲詳

	七	八	九	十	十一
			趙康三月任。		
				陳基遷自三河。	
				吴鏊安徽全椒人。	
			李和永詳東安。		
江南桐城人，監生。	袁鯤化江南寶應人，監生。	李和永河南光山人，監生。 李光昭詳傳。			
傳。					朱奎揚

								浙江山陰人，監生，調易州。
十二	薛如春十二月署。李讚十二月署。劉耀珪十二月任。				張士英山東利津人，監生。			
十三	薛如美六月署。陳世佺九月任。							
十四								唐倚衡遷自灤州判，官至江西南安知府。

十七	蔣棆十月署。				任寶坊江蘇蕭人，甲子副貢，署。			
十八	孔傳炣八月任。				蔣式瑜廣西灌陽人，監生。			薛如春浙江錢塘人，監生。
十九	嚴宗璋四月署。勞宗發十月任。							
二十年前			吴學昌					
二十	嚴宗璋十二月再署。		楊喬					
二十二	周贄三月任。		吴世臣浦城人。					

二十三								蔣曰杞江南吳人，監生。
二十五								諸世鍾浙江山陰人，監生。
二十六					王玉由神州州同署。 王元常陝西長安人，戊辰進士。			
二十八		劉㦸詳傳。		朱履翔浙江長興人。	蘭第錫詳傳。	邊來猷貴州青谿人，拔貢。		萬廷蘭江西南昌人，進士。
二十九	周模八月署。		李均浙江會稽人。				任琚山西太谷人，進士。	

三十	三十二	三十四	三十五	三十六	三十
蘭第錫 四月任。		張曾汾 二月任。		吴鰲 安徽休甯人，廩貢生，十月任。	
			沈承業 浙江會稽人，庚辰進士。		
				張璿 江蘇吴人，監生。	
張光曾 江南長洲人。					王湘若
陳龍文 江蘇吴江人，監生。		劉民牧 安徽潁上人，吏員。			劉楙 安徽
			王治岐 甘肅固原人，拔貢。		
			張鈍 貴州安順人，癸酉進士。		
	曹元端 詳傳。		龍舜琴 江南蕪湖人，拔貢，遷通永道。		

七					江蘇陽湖人，保舉。	歙人，監生。		
四十年前				胡大化 勞宗發				
四十一				陸耀浙江仁和人。				
四十二	莊夔六月任。					周震榮浙江嘉興人，壬申舉人。		
四十三								高天鳳詳傳。
四十四				張習				
四十五					譚鈞			

四十六	方應綸七月署。喬人傑八月任。				顧三秀			
四十八	崔夢熊六月署。汪應紹七月任。							李宏照江南上元人，貢生。
四十九年前				馬同書詳傳。				
四十九				李光理安徽廬江人，拔貢，請帑重築甎城。	楊英祖			
五十一					馮英			
五十	沈長春				顧三秀			

三	二月署。王殿光三月任。				再任。			
五十五					蘭第錫再任。			
五十六	陸顯曾五月任。祝振六月任。			張顏江蘇如皋人，貢生。				
五十七	吳于宣十二月由北路同知兼攝。				吳兆熊			
五十八	楊鯤正月署。胡遜二月任。							

五十九	楊鯤四月由宛平知縣兼署。譚光褕四月由大興縣丞署。張粹中七月任。譚光褕十月再署。沈清十二月任。				夏益進			
六十	譚光褕九月又署。							
年未詳						莊鈞詳傳。		

嘉慶元年	郭立誠二月任。				尚之清			
三				鄒試湖北漢陽人。				
四	丁光劍五月由督糧廳兼攝。 錢復詳傳。			黃釗湖南善化人。 田宏猷江蘇桃源人，監生，署，遷南路同知。				
五				于曉	李光緒			
九	孫粱八月由縣丞代理。 邵安宇十月任。			鄒開旦	彭元英			

十	孫梁 二十月再理。		王德棻 山西靈石人，監生。					
十一	何道榜 正月任。				宋齊連			
十三	何維綺 閏五月署。							
十四	何道榜 六月再任。							
十六	張學程 十二月由候補直隸州署。		沈鋭 十月十署，十七年丁憂，道光七年實任，餘詳薊州傳。					
十七	倪景點		黄桂林					

	五月由治中攝。周蓮五月署。沈守恆十一月任。							
十八年前				唐維釗 陳鎮標 楊□□進士。				
十八	陳鉅釧四月由宛平知縣兼署。沈守恆五月再任。樊如杞			何貞江浙山陰人，監生，遷南路同知。				

	十二月署。							
十九	沈守恆六月又署。							
二十	陳錫熊四月任。溫盈泉十月署。							
二十年前		張洽詳武清傳。						
二十一	黃萬里六月署。				李懋勳		張洽十二月任，詳武清傳。	
二十二	溫盈泉五月再署。黃克昌八月署。			錢錫魁詳傳。				

二十三	萬鼎滋 正月署。						秦承霈 六月由涿州署。	
二十四			陶金殿 安徽滁人，拔貢。			陳□（據重修安次書院記）		
二十五年前				葉德豫 遷□□同知。				
二十五	吴崑 八月任。周衡 九月署。潘[illegible] 山東樂陵人，監生，十一月任。			程正樂 四川墊江人，舉人。	楊泰階 浙江山陰人，十二月任。			阮亦昂 浙江山陰人。
道光元		吴承寵		劉植椿				

年	二	三
	吴承寵 十二月由宛平知縣兼署。	李鈴 山東壽光人，優貢，正
安徽歙人，監生，七月任，三年十二月再任。		萬鼎洋 湖北黄岡人，進
	包騤	
湖北江陵人，甲寅舉人。程正樂 七月復任。李廷譔 四川合州人，戊午舉人，八月任。沈潮 安徽石埭人，議敘，十月任。		程正楷 四川墊江人，辛酉
		劉遵海 河南祥符人，壬午
		茅錫搢 山東歷城人，戊午
		吴承寵 十月任，詳宛平。

	四	五
月任。潘勤二月再任。馬錫書山西介休人，十一月署。	霍登龍河南內黃人，拔貢，五月任。	羅秉寅湖北漢川人，三月任。
士，十二月任，六年十二月去。		
	黃瀚安徽桐城人。	
舉人，十二月任。	王堃浙江鄞人，辛酉拔貢，七月任。	張耀箕江蘇銅山人，投劾
進士，十二月任。	毛占樞浙江餘姚人，壬午進士，五月任。	
舉人，教習知縣用，二月署。徐志祖安徽宿松人，監生，八月任，卒。	閻錦麟十一月署，詳霸州。董瀾浙江鄞人，己巳進士，十一月署。	盧建基四川墊江人，監
裴對廷山西絳州人，十二月任。	蔚音芳山西朔人，十一月任。俞諒浙江仁和人，十二月任。	

	六	七
霍登龍五月再任。		
	何長敦福建光澤人，舉人，十二月任，七年五月去。	張翰仙歷房山知縣，五月任，三月遷南路同知。
		郎汝林山西人，舉人。沈銳十一月再任，遷知薊
南河，九月任。龍戴恬四川宜賓人，壬午進士，十一月任。		孫元彬雲南昆明人，舉人，二月任。張書紳
	單文誥安徽婺源人，監生，八月任。	茅錫搢三月任，詳香河。
生，貴州獨山知州，丁憂服闋，三月署。郭夢齡山東濰人，癸未進士，十二月任，調三河。		陳毓棠雲南河陽人，庚午舉人，大挑知縣，十二月署。
	蔡元信四川富順人，四月任。	龍載田四川成都人，二月任。

	八	九
	趙塘山東利津人，進士，六月署。孫元彬雲南昆明人，舉人，八月署。林靖光福建侯官人，舉人，八月署。	郭夢齡
州。		
江縣武進人，閏五月任。張耀箕十一月復任。	吴其裕河南祥符人，癸酉舉人，四月任。	
	蔡應桓四川安岳人，癸酉舉人，二月任。甘長安福建古田人，甲子舉人，八月任。	孫元彬
	袁正林湖北江夏人，丙戌進士，三月調任邯鄲。	
		王燕堂

	十	十一
六月由三河知縣署，十年署南路同知。	歐陽學 湖南新化人，舉人，四月署。胡惪璜 河南夏邑人，癸未進士，五月任，遷南路同知。	
		呂貽安 江蘇陽湖人，舉人，三月任，十一年
		潘相 安徽桐城人，拔貢。
	蔡應桓 八月任，詳永清。楊夔生 江蘇金匱人，供事，九月任。	
雲南昆明人，甲子舉人，十二月任。	萬啟遜 江西南昌人，二月任。按：永清李志，年分參差，今據縣册訂正。歐陽學 九月任，餘詳大興。	劉掌衡 山東單縣人，甲子舉人，三月任。
	沈如潮 浙江桐鄉人，庚午舉人，大挑知縣，十二月署。	
山西榆次人，三月任。	熊光信 安徽潛山人，三月任。丁榮棨 安徽廬江人，十月任。	

		八月去。賴以立江西奉新人，進士，八月任，十二年二月去。			萬啟遜八月回任。			
十二		唐宗泰河南汝陽人，舉人，二月任，十四年六月去。	李宣範詳通州傳。	陳稼生十月任。			嚴性安徽含山人，辛酉舉人，大挑知縣，八月署。	包棻江南南城人，七月任。倪謩浙江山陰人，九月任。彭定澤江西平樂人，十一月任。
十三				楊夔生二月復任。	李浵山東鄒平人，癸酉舉人		羅慶元四川青縣人，軍	倪謩再任。

	十四	十五
	李森貴州貴筑人，廩生，四月由□□兼攝。何耿繩山西靈石人，進士，六月任。	
	王賡四川銅梁人，舉人，六月任，七月去。彭玉雯江西甯都人，舉人，七月任，十五年十一月去。	單文誥
		彭世昌
		王庚三月
，五月任。凌志召安徽定遠人，舉人，十二月任。永清李志列十六年。		
功，遷自未入流，七月任，丁憂。		鄭啟新
	何煥緒湖北江夏人，八月任。史渭綸江蘇溧陽人，十二月任。	

	十六	十七
	李森五月再攝。何耿繩七月再任。吳銑四川達人，進士，八月任。	鄭啟新遷自良鄉，十一月
十一月署，調自武清，十六年五月去。	吳儀澄河南祥符人，進士，五月任，十八年六月去。	
江西樂平人，舉人。	周震青廣西臨桂人，舉人。	
任，餘詳宛平。楊夔生七月復任。鄭啟新山西文水人，十月任。	陳嘉謀浙江錢塘人，監生，三月任。	
	李⿰氵彬四月回任。張夢麟江蘇銅山人，監生，七月任。	李⿰氵彬十一月回任。
正月由良鄉丞代理，後遷大興。		
	李宣範詳傳。	

	十八	十九
任。	吴銑二月再任。	李森五月又攝。
	金照浙江錢塘人，舉人，六月任，八月去。吴人彦安徽涇人，監生，八月任，十二月去。李廷棨山東章邱人，進士，十二月任，十九年十一月去。	高午陝西鄜州人，壬午副
		李森貴州人，廩生。
	杜良謙浙江慈谿人，辛巳舉人，七月任。	鄢敏學詳傳。
	蔡應恒十月署。	李協中甘肅西甯人，丁酉
		林安佐浙江上虞人，難
	李渤山西高平人，十二月任。劉夢熊河南虞城人，十二月任。	雷致亨江西平樂人，六月

	二十
吳人彥 六月任，詳宛平。 李森 六月又攝。 陳之驥 江蘇上元人，進士，十一月任。	陳稼生 十二月任，詳甯河。
貢，十二月任，二十一年署知薊州。	
李正培 四川岳池人，吏員。	
	張汝樂 山西平定州人，庚午舉人，四月任。
拔貢，九月任。	翟宮槐 山東壽光人，壬辰進士，十二月任。 畢昌緒 詳傳。
廕，五月署。 王貽穀 六月署，詳房山。 劉士珍 雲南安水人，甲子舉人，七月任，卒。 陳稼生 五月由寶坻知縣兼署，詳甯河。	
任，詳宛平。	劉延熙 貴州大定人，五月任。

二十一	二十二
	劉炘陝西渭南人，舉人，十一月任。姜士冠江蘇六合人，舉
林安佐浙江上虞人，襲雲騎尉，十一月任，二十二年正月去。	高午正月回任，八月去，十月遷南路同知。喻元雲南
周昕安徽人，舉人。	
黃贊禹江西廬陵人，進士，有善政，名宦。沈元文浙江歸安人，監生，六月任。張玉藻山西平定人，監生，十一月任。	李方儀江西南昌人，癸酉舉人，十月任。
	鄒學敏六月任，詳固安傳。李協中甘肅西甯人，丁酉
	白諳山西太谷人，五月任。

	二十三
人，十二月任。	
南甯人，舉人，八月任，明年三月去。	魏尊德 甘肅金人，舉人，三月任，九月去。 吴承祖 九月任，十月去，餘詳東路同知。 丁希陶 雲南楚雄人，戊戌進士，二十月任，
	饒春熙 雲南恩安人，拔貢。 厲維梁 浙江蕭山人。
	朱瑞金 浙江烏程人，貢生，二月署。
	郭牖心 陝西蒲城人，丙午進士，五月任。 周若棠 奉天承德人，乙未進士，八月任。 畢昌緒 十二月回任。
	趙從儉 陝西臨潼人，吏員，七月任，二十四年正月去。
拔貢，六月署。 周鳴鳳 山東單人，乙酉舉人，八月任，調唐山。	

		十五年四月遷南路同知。							
二十四	劉體直山西太平人，監生，六月署。		李輝曾	張夢麟詳傳。		劉炘正月任，七月去，詳大興。曹擢新陝西三原人，舉人，七月任，二十五年九月卒。		魏尊德三月任，詳宛平。祝恂浙江秀水人，四月任。
二十五	倪烒浙江會稽人，舉人，七月署。黃贊禹江西廬陵人，進士，八月任。	魏尊德四月再任，七月去。陳希敬浙江海鹽人，進士，七月任，明年十	程仁傑遷自順天照磨，後署三河知縣。	朱瑞金十二月復任。劉寶楠詳三河傳。	延彩詳傳。姚忠亮浙江山陰人，壬辰舉人，八月任。	唐盛山西朔州人，舉人，九月任，明年二月去。		

		一月去。						
二十六		戚貞浙江錢塘人，進士，十一月任，二十八年七月去。		王仲蘭江蘇吳人，有惠政，修學宮。（據劉牲碑記）		李輝曾山東臨清人，供事，二月任，二十七年正月去。	陳可珍湖北江夏人，戊寅舉人，歷完、河間，六月任，引疾。	喬邦哲山西徐溝人，五月任。
二十七	倪烒正月再署。范梁浙江錢塘人，庚子進士，六月調自雄縣，二十九年遷北路同知。		謝蘭省廣東英德人，進士，署。江安瀾廣西臨桂人，舉人。		王光熊奉天承德人，宗室教習，十二月任。	朱華衮福建邵武人，舉人，正月任，明年四月去。		王金相山東莒州人，四月任。
二十八		楊春和貴州貴筑人，進士				李圖山東掖人，拔貢，四月	朱以升五月署，詳甯河。	

	二十九
	程仁傑 湖北江夏人，議敘，四月任。
士，七月任，三十年八月去。	
	謝蘭省 再署。 宮國煦
	夏樹穀 湖北蘄水人，壬辰舉人，十一月任。
	陳崑 四川 開縣人，乙巳進士，正月任。
署，五月去。 李輝曾 五月回任，七月去。 叢壇 山東 文登人，舉人，七月署，十月去。 郭寶鑽 河南祥符人，舉人，十月任，咸豐元年八月去。	
劉仲錕 山東濱州人，己亥舉人，教習，知縣用，三月署。	朱華袞 福建邵武人，辛卯舉人，大挑知縣，

	三十	咸豐元年
		李朝儀 五月遷自三河，詳府尹傳。
	王蘭廣 河南修武人，拔貢，八月任，明年四月去。	吳中順 四月署，調自武清。 費濤 字東
山東蓬萊人，舉人。	薛榮 詳傳。	
	蔡懋昂 浙江人，八月任。 李圖 十二月任，詳東安。	吳燾 安徽歙人，供事，五月任。
王者詔 山東濟陽人，乙巳進士，五月任。 戴沛 七月任，詳傳。	劉體直 七月任，詳大興。	戴沛 六月回任。
		叢壇 八月任。
閏四月署。	車汝震 貴州貴陽人，乙巳進士，六月任，調寶坻。	蔡錫申 湖南新化人，乙未舉人，大挑知縣，十一月署。
	佈彥 蒙古鑲白旗人，二月任。	

	二
甫，浙江歸安人，丁酉拔貢，四月任，十二月去，後官南路同知。 康果齡山西興人，監生，十二月任。 高衙浙江山陰人，監生，十二月任，十二年正月去。	何蘭馨河南息人，舉人，
	張和甘肅河州人，進士，五
	王廷才奉天開原人，丁未

	三	四
	張和六月署，詳東安。	齊祥慶
正月任，三年正月去。	尹佩瑲雲南蒙自人，進士，正月任，四年正月去。	黎鴻恩
	高驤雲詳房山傳。 黎鴻恩由懷柔署，詳東安。 謝學元湖南保靖人，舉人。 齊祥慶福建侯官人，舉人。	馬慶揚
		陳崇砥
月任，三年六月去。	王啟疆陝西岐山人，舉人，六月署，四年三月去。	趙從儉
進士，八月任，引疾。	吉祥滿洲鑲藍旗人，江南上元駐防，甲辰舉人，大挑知縣，六月署。	蔣大鏞
	吳承祖江西南豐人，九月任。 祁之棨山西高平人，十月任。 吳中順江蘇陽湖人，十一月任。 蔣大鏞江蘇無錫人，甲辰進士，十二月任。	蔣大鏞

	五	六
福建侯官人，舉人，八月署。胡啟文河南汝陽人，進士，十月任。	費濤六月署，六年正月實任，詳宛平。	石衡六月
由懷柔署，閏七月兼署北路同知。陳瑞四川遂甯人，舉人，十一月任，七年正月去。		
福建閩人，舉人。齊祥慶再任。白維由丞署。汪福謙江蘇吴人，供事。	白維再署。熊存翰江西鉛山人，舉人。	陳贊清
字繹萱，福建侯官人，丙午舉人，大挑知縣，四月署。	席伊炳十一月任，詳良鄉丞。	
		耿垂紳
三月復任，六年十二月去。		白維十二
由通州知州代理，詳通州。	曾世槐四川隆昌人，己亥舉人，大挑知縣，正月署。	黃曾浙江
五月再任。鄧錫恩四川崇慶人，監生，歷涿州判，署石壩州，判獲要犯，遷昌平知州，丁憂，起復，調知涿州，知通州，八月任。	高錫康江蘇泰州人，十二月任。	

	七	八
署。	賀廷鑾 湖南清泉人，拔貢，閏五月任。	鄧錫恩 九月署，詳通州。
	毛慶麟 浙江遂安人，拔貢，正月任，八年十一月去。	賀瀛 十一月由大興兼署。
五月由涿州判署，後調固安。		鄧錫恩 詳通州。
	齊士蕃 九月由候補同知直隸州署，餘詳平谷。	陳贊清 五月由良鄉署，餘
山西平定人，己亥舉人，二月任。 余啟咸 浙江遂安人，監生，七月任。	蔣元瑞 詳傳。	
月由良鄉丞署，十年六月去。		
錢塘人，壬辰舉人，大挑知縣，八月任，七年五月去。 王栻 浙江鎮海人，乙未舉人，大挑知縣，五月署。	黃曾 九月同任，十年十一月去。	
		陳壽昌 江西南城人，十一

	賀瀛十月由順義知縣署，九年六月實任。	張昭貴州綏陽人，進士，十一月任，九年六月實任。	陳鸞浙江錢塘人，監生。	詳宛平丞。				月任。
九		劉秉琳湖北黃安人，進士，十月任，十一年七月去。	宋維光山西汾陽人，貢生。陳鸞再任。李聯鴻山東濟甯人，監生。	李應選調自保定，十二月任，永定河出力，加同知銜。				張瀚廣西馬平人，三月任。陳壽昌八月再任。
十	白維六月署，餘詳良鄉。			楊應枚五月任。	余汝修江蘇武進人，附	宋維光六月任，同治元年	吕嘉瑞安徽旌德人，丙午	蕭履中江蘇陽湖人，正月

	十一	同治元年
	齊士蕃 十二月署，詳平谷。	賀瀛 正月同任。 吴夢曾 安徽涇人，舉人，七月署。
	章燦 浙江富陽人，舉人，七月任，明年二月去。	費學曾 江蘇武進人，監生，二月任，七月去。 夏子齡
		任爾會 山西汾陽人，監生。 莊允端 江蘇陽湖人，監
		余汝修 正月任，二年七月遷知宛平。
貢，二月署，歷寶坻、固安、宛平，南路同知。	王錫琦 山東長清人，監生，十月任。 彭瑞麒 福建崇安人，六月任。	吴履福 安徽涇人，丙午舉人，十二月任。
二月去，餘詳良鄉。		蔡澄 江西德化人，恩貢，二月代理，六月卒。 李海樓 河南扶溝人，拔
舉人，大挑知縣，十二月署。		黄曾 四月同任，四年三月調平谷。
任。		葉增慶 甘肅靜甯人，二月任。 原振鈞 十一月由州同署。

	二	三
	賀瀛六月又任。吳夢曾十二月再署。	
江蘇江陰人，進士，七月任，二年七月去。	余汝修七月遷自固安，五年七月去。	
生，署，三年補固安。		呂嘉瑞後署甯河，坿彭瑞麒傳，餘詳香河。
	李應選七月回任。	莊允端六月任，詳良鄉。
	齊士蕃詳平谷。彭瑞麒二月回任。趙鉞浙江山陰人，監生，五月任。	戴儀雲南呈貢人，丁酉舉人。
貢，六月任，二年正月去。	任爾會山西汾陽人，監生，正月任，五月丁父憂。呂嘉瑞安徽旌德人，舉人，五月任，三年五月去。	黃景熙江西南豐人，優貢生，五月署，十二月
	鄧錫恩六月回任。	

							月去。宋維光十二月再任，六年十月去。		
四	余汝修七月由宛平知縣兼理。諶命年江蘇上元人，進士，七月署。				楊應枚雲南寶甯人，丙午舉人。			周紹達浙江諸暨人，癸亥進士，三月署。李璋十月署，調自平谷。	張鎔江蘇甘泉人，七月任。鄧錫恩十月回任。
五	楊蔚本九月由宛平知縣兼署。曹大俊	楊蔚本貴州遵義人，舉人，七月任，七年十一月去。	陳鏡清十二月署，後補固安，詳武清丞。	李璋，署詳平谷。	葉守貞江蘇上元人，監生。		楊因培江蘇武進人，供事，遷自固安縣丞，歷署昌平、平谷，	

	六	七
河南固始人，進士，十月任。		楊蔚本 正月再兼署。李賡雲 二月由甯河來署。鄭沂 山西陽曲人，丁酉舉人，歷知隆平、雄
		李賡雲 十一月由甯河來署，八年十二月去。
		王堃 調自永清。
	孫樅 山東濟甯人，己酉舉人，四月署。	陳鏡清 正月任，詳武清丞。
	王堃 江西東鄉人，監生，七年署良鄉。	李秉鈞 詳傳。
	張鵬雲 奉天錦人，優貢，十月任，七年八月去。	李璋 河南西華人，進士，八月任，八年二月去。
十一月任，八年五月去。		
	陳鏡清 由固安知縣署，丁憂起復，署三河。	張毓先 河南商城人，正月任。石衡 廣東番禺人，正月任。宋彭壽 江蘇溧陽人，十月任。

	八	九
縣，八月調，十一年遷北路同知。		
	楊蔚本 十二月任，九年六月去。	李璋 六月任，十一年二月去，餘詳東安。
	毛璋 山東濰縣人，進士。 王爾琨 字松潭，廣西永福人，壬戌進士，十年調署房山。	
	邱銘勳 字丹臣，福建閩人，進士，建書院。	李秉鈞 四月由武清回任。
	姚鎔 浙江德清人，監生，海運保以知縣用，咸豐九年補武清縣丞，捐離任，二月署。	李璋 二月回任，六月去。 張邦瑞 浙江會稽人，供
	童鳳喈 浙江鄞人，監生，候補知州，五月署。	楊因培 四月回任，光緒六年調署甯河。
	徐本培 浙江德清人，七月任。 鄧錫恩 八月回任。 張鵬雲 奉天錦縣人，十二月任。	莊允瑞 閏十月任。

	十	十一	十二
	邱銘勳 二月由武清來署，十一月兼署宛平。		汪家勳
		邱銘勳 二月由大興兼署，十二年三月去。 厲能官 江蘇儀徵人，拔貢，三月任，十三年五月去。	
	高建勳 詳通州。		
	楊謙柄 十一月任，後署涿州、寶坻，餘詳武清。		
		宋彭壽 江蘇溧陽人，七月任。	李秉鈞
事，六月任，十年八月去。	毛璋 山東濰縣人，進士，八年任，十二年十一月去。		馮瑋 河南
		鄒在人 二月由東路同知兼署，詳治中表。 王堃 字芸舫，江西東鄉人，二月署。	高建勳

	十三	光緒元年
江蘇上元人，甲辰舉人，正月任，後歷甯河，南路同知。	王堃 七月任，餘詳永清。	
	周紹達 浙江諸暨人，進士，五月任，九月去。 石賡臣 奉天鐵嶺人，監生，九月任，光緒三年正月去。	
由薊州同任。	吳欽 江蘇陽湖人，十月任。	賀培楨 江西萍鄉人，六月
武陟人，舉人，十一月署，十三年六月去。	劉枝彦 字竹坡，江蘇武進人，供事，六月任，光緒二年十二月去。	
字星槎，山東章邱人，正月任，光緒五年修州志。		

	二	三	四
			管近修 江蘇江甯人，進
	王啟俊 山東蓬萊人，監生，正月任，五年五月去。		
			梅宗望 由房山兼理。
		張兆豐 廣東番禺人，監生，刑部主事改官，五月署。	
任，十二月卒。 彭樹惇 十二月任。		張鈺 江蘇儀徵人，坿貢，遷自故城縣丞，三月任。	張邦瑞 十二月任，三月
	葛元恩 浙江仁和人，監生，十二月代理，三年正月去。	彭爵麒 安徽懷甯人，舉人，正月署，六年二月去。	

	五	六	七
士，三月任。			劉枝彥 七月署，調自寶
	蔡壽臻 附生，五月任，六年去。	梁魁 廣東德慶人，舉人，八月任。	
楊謙柄 五月由固安知縣署。	彭慶颸 湖北潛江人，甲戌進士。	陳嵋 字午橋，山東蓬萊人，監生，修縣志。	
		楊謙柄 四月由署寶坻回任。	
卒。	謝偉勛 三月任。		張鈺 七月再任。
		王益壽 山東夏津人，優貢，二月任，七年七月去。	彭慶颸 七月署，十一月
		丁符九 六月署，詳文安、甯河。 葉常芳 河南光山人，監生，十月署。	楊因培 三月回任。

	坻。					去，詳良鄉。王益壽 十一月同任。		
八	趙文粹 十二月任。	李均豫 江蘇丹徒人，監生，五月任。			馮壽松 浙江歸安人，四月署。			
九			楊謙柄 由固安調任。	張振期 字光伯，江西人，進士，署。			馮瑋 署。	

官師志十一

國朝州縣表二下

德清傅雲龍纂　江陰繆荃孫覆輯

	三河知縣	武清知縣	寶坻知縣	甯河知縣	昌平知州	順義知縣	密雲知縣	懷柔知縣
順治元年	王元魁詳傳。	耿應旦陝西人，貢士，急保障，滌煩苛。胡守傑延慶人，舉人，二年遷刑部江南司主事。	薛良心詳傳。				宋光賢浙江山陰人，舉人，行取工部主事。	覃楚大
二	曹時舉	蕭芳東遼					董成學	張善署

	遼東人，三河陳志入賢員。	人，監生，遷知開封府。					遼東人，監生，考選御史。	鑲白旗人，遷知山東濟南府。
三			孫必茂 詳傳。					
四		鞏清 遼東蓋州人，恩貢。	萬全 詳傳。				孫世爵 遼東人，貢生。	徐我達 浙江人，丁亥進士。
五	孟希鄰 遼東人，貢生，遷知府。	劉廷佐 遼東瀋陽人，貢士。 佟希堯 遼東遼陽人，貢士，遷工部主事。						楊士美 旗人。

七		宣文衡遼東開原人，貢士，遷知正陽州。					谷起雲 劉志魁山東臨清人。	
九							馮源山東人，進士。	劉肇孔山西人，軍功。
十年前			甄成旗人。					
十	王克生河南人，舉人。	董起運詳傳。	蕭蕙詳傳。			張定憲字居翰，江南宜興人，進士，緩徵輕刑，民立去思碑。		
十一			方之璧山東人，舉人。					

十二	劉運昌 陝西人，舉人。							
十三	魯紹唯 江南人，舉人。							秦簡 旗人。
十四							孔貞銘 山東曲阜人，貢士。 劉徹奇 山西人，舉人。	
十六		楊九鼎 浙江仁和人，拔貢，降鹽運司知事，尋遷知□□縣。						陸騰駿 江南淮安人，歲貢，遷户部主事。
十七	馬有用	謝果 福建					劉應奇	

	十八	年未詳
遼東人，貢生，遷知□□州。		
閩人，舉人，陝西隴西縣丞，遷北城副兵馬司。	魏元芳 陝西臨潼人，貢監。	
		魯元公 麻城人，舉人。
		李日晉 湖廣人，舉人。 馬之先 奉天人。 戴國光 江南人，舉人。 高登庸
		谷登明 河南人。 金志遠 奉天人。 康應選 奉天人。 王弘仁 奉天人。 周駿聲
詳傳。		

二	康熙元年	
成王臣		
	程上瑞 詳傳。	
		奉天人，貢生。 胡文曄 奉天人，貢生。 馮廷箴 山東人，進士。 劉啟復 奉天人，貢生。 郭啟鳳 奉天人，貢生。 蔡廷輔 奉天人，舉人。
	姚[illegible] 廣東潮州人，貢生。	福建人，舉人。
張懷瑺		

	詳傳。						山西人，貢生。	
三					趙三長 詳傳。			
五	高起鳳 遼東人，廕生，調莘野。					王侯服 河南夏邑人，進士。	陳素抱 浙江人，舉人。	
六		馬曰駕 山東平度人，拔貢。					趙宏化 山西壽陽人，進士。	周于漆 江南江甯人，拔貢，遷督捕主事。
七	奚禄詔 湖廣人，進士，遷同知。	曹際飛 江南華亭人，拔貢。						
八			歐陽動生					
九		余昌宗				韓淑文		綦汝舟

		四川羅江人，舉人，降豐縣主簿。				河南項城人，進士。		山東人，舉人。
十年前			閔以華 公安人，進士。 杜仁俊 江都人，選貢。		金以琳 浙江人，官生。 汪宗周 陝西人，貢生，遷奉天治中。 王孫盛 陝西人，舉人。			
十		鄧欽楨 詳傳。			吴都梁 奉天人，官生。			
十一			牛一象 詳傳。					王定乾 山西人，舉人。

十二								徐衮詳傳。
十三	任塾詳傳。							
十四		劉世輔江西新昌人，歲貢。						
十五		祖澤浯奉天甯遠人，廕生，遷河南彰德同知。						謝淳浙江仁和人，吏員，遷大同同知。
十六						杜光宗山東聊城人，貢生。		
十七		朱大乾						

		江南全椒人，進士。						
十九		劉潤山東掖人，舉人，憂去，民立去思碑。				鄒琬湖廣麻城人，進士。鐘鳴遠鑲紅旗人，遷荊門州。		
二十年前			路坦詳傳。				謝孝舉湖廣沔陽人，貢生。	
二十	余學昌廣東人，舉人，憂去。		別楣詳傳。				張元聲山西襄陵人，舉人。	
二十							華善陝西	

一	二十二	二十三	二十四	二十五	二十
	冉德四川人，舉人，憂去。		彭鵬詳傳。		
	祖應世詳傳。			甯天瑞山東章邱人，進士，二十七年降調。	孔元祚
					吴元臣
三韓人，廕生，官至西安參領。		楊世奕浙江人。		陳雋廣東人，舉人。	
	强致中陝西鳳翔人，舉人，遷知吉安府。				

七		字永齊，廣東長樂人，舉人，修學宮兩廡，遺愛在民。				江南宜興人，進士，遷禮部主事。		
二十八					王光謨			
二十九	鄭崑壐 山西人，進士，揀選才能。 張鼐 遼東 正紅旗人，遷知涿州。	祖應世 復任。						黃景式 江南崇明人，監生，三十四年調順義。
三十二	張朝琮 詳文安傳。							
三十	高蔭爵					馬文煜	孫國輔	

三	詳傳。					江南宜興人，乙丑進士，調懷柔。	陝西三韓人。	
三十四			毛士儀秀水籍，遂安人，際可子，拔貢，邑有生祠。			黃景式由懷柔調。		馬文煜由順義調。
三十五	郎秉和調自平谷，遷東路同知。						陳士銓浙江山陰人。 惠周惕字元龍，原名恕，江蘇吴縣人，辛未進士，庶吉士。（據錢林徵存録）	

三十六	祖允煥 遼東鑲白旗人，憂去。	章曾印 詳傳。					鄭富民 鑲紅旗人，後官密雲同知。	
三十七	陳廷柏 遼東正白旗人，遷知□州。							
三十八						楊芳裔 山東壽光人，進士。 陸錫齡 江南泰興人。		楊璋 浙江處州人。
三十九	鄭富民 奉天鑲紅旗人，續修縣志，遷知遵化。					楊棠 詳傳。	周鉞 江南常州人，貢生。	

	州，陳志入賢員。							
四十二							王之琦浙江紹興人，廩生。	王績正黃旗人，大城縣，調遷古北口同知。
四十四		羅芳四川人，舉人。						
四十五	閻毅鑲紅旗人，遷□□同知。							
四十六	李長華鑲黃旗人，歲貢。	胡紹安詳傳。			汪錫齡詳傳。			
四十七		王原博江蘇太倉人，丁卯						

	四十八	四十九	五十	五十一
舉人，四月任，有去思碑。				□□生 監生，民立去思碑。
		戴鐸 奉天人，五十年遷北岸同知。（據永定河李志）	汪錫齡 再任。	
	陳九睦 鑲黃旗人。		陳采 江南人，監生。	朱英 湖廣漢陽人，監生。
	林元桂 浙江永嘉人，庚辰進士。			

五十二								吴景果字半淞，江南吴江人。召試賜監生，輯縣志。
五十五						李永輝山西夏縣人。 黃成章詳通州傳。		
五十六		王允懿四川夔州人，己卯舉人，二月任。						
五十七年前			王嘉亮肥城人，貢生，執法謹。					

李襄 監生。

徐元璞 揚州人。

徐璉 河南人。

錢壽世 常州人，貢生，政和惠。

柯鉉 鑲黃旗人。

吳振武 秀水人，却羨餘。

薛文 榆林人。

杜之叢 扶溝人，敦本重

	五十七	六十
		陳良襄漢軍正藍旗人，六月任。
儒。沈嵩士海甯人，進士，興學除蠹。湯大正江南人，貢生。黃志元福建人，葺縣治。周天眷鬱林州人，舉人，民立去思碑。	程璇詳傳。	
	薛天培詳傳。	

六十一	王原泗江南人，監生。							
雍正元年								薛天培六月由密雲知縣兼攝。
四	林奕繩福建人，舉人。	趙曰瑛山西文水人，進士，立錢糧滚單，歷十有一載。						
五	劉永福山東人，舉人。							
六	何德祺浙江紹興人，吏員。							

九年前	九	十一
	黃裳山西人，舉人。	唐續祖
吳祖留武進人，進士。 吳槃全椒人，興學剔蠹，報最。 徐大樑金谿人，進士。 劉廷元江夏人，進士。 廖翼閬中人，舉人。	伍澤榮詳傳。	
	楊奇昌詳傳。知縣始此。	沈濬詳

	年未詳	乾隆元年
江蘇江都人，監生，遷大興知縣，西路同知。		
		陳惕詳傳。
	韓亦詩澤州人，貢生。	
傳。		張克貴貴州甕安人，辛卯舉人，四月署，五月去。 黃國楹廣東歸善人，貢生，五月任，四年三月告終養。

四年前	四	五	六	七
		彭蕚采河南人，廪貢。	魏橋山東人，舉人。	趙康江蘇
	吴翀詳傳。			
李翘涉人，進士。	洪肇楙詳傳。			
	趙憲山東博山人，庚戌進士，三月任，五年八月調東光。	洪肇楙詳實坻。	李之蓉廣東翁源人，戊子舉人，四月任，十年六月丁母憂。	

	人，監生，遷大興。							
八					胡大化			
九	陳基浙江人，貢生，遷宛平。							
十	熊繹祖詳傳。			劉啓湖南攸人，丙午舉人，六月署，八月去。 葉志寬廣東澄海人，庚戌進士，八月任，十二年六月調青縣。				
十二				鍾象山廣西賀人，甲辰舉				

					人，六月任，十五年四月劾。			
十四	薛如春 浙江人，監生，遷知通州。							
十五					王建中 雲南劍川州人，拔貢，教習，四月署，七月去。 屠祖賚 詳傳。			
十八					任西華 詳傳。			
十九	郭昌泰 山西人，貢生。		吳克明		師友尚 陝西興安人，辛酉			

	二十	二十一	二十三
		陳泉 浙江人，舉人，修縣志，二十五年遷知貴州麻哈州。	
		關寶秀 李武曾 河南洛陽人，監生。	吳龍光 由甯河兼署。
舉人，十月署，二十年四月去。	吳龍光 浙江錢塘人，辛酉舉人，四月任，二十三年六月兼署寶坻，八月調豐潤。		任維紀 山西汾陽人，壬子
			芮泰元

	二十六	三十
		何熂 安徽
		李得御
舉人，七月署，八月去。謝洪恩 詳傳。	石崇先 五月署，八月去。徐堂 河南祥符人，戊辰進士，二十七年修東渡，葺北渡，三十年十月遷知延慶州。（據劉濬東渡碑記）	許鈞 浙江
		黃元圯
		莊爕 江蘇
	廣甯 滿洲正黃旗人，舉人。	
		王世仁

	三十一	三十二	三十三
鳳陽人，進士。			
陝西大荔人，舉人。	許鈞 十月調自甯河。		
仁和人，十月任，三十一年十月調寶坻。	薛端 浙江鎮海人，甲子舉人，十一月任，三十二年十月劾。	孫景曾 浙江仁和人，監生，十月署，三十三年三月去。	杜僑 雲南蒙自人，戊午舉人，
廣西臨桂人，進士。			
武進人，監生。			
江西奉新人，進士。			

				人，三月任，三十四年五月引疾。				
三十四				甄時濟 河南汝州人，庚辰舉人，五月署，七月劾。 納齊圖 鑲紅旗人，七月署，九月去。 黃紹魁 詳傳。				
三十五		甄克允（據東華續録）			李方茂 河南濟源人，舉人。			

三十八	三十九	四十
茅啟運 浙江山陰人，監生。		
阮芝生 江蘇山陽人，進士。（據文昌閣額）	李汝琬 遷自通州州同，四十七年遷東路同知。	
孫之岸 陝西三原人，進士。		
	梁肯堂 浙江錢塘人，丙子舉人，八月署，九月去。 關廷牧 始姓陳，後復本姓，字叢桂，廣東南海人，進士，葺渠梁書院，創纂邑志。	
萬經 陝西三原人，貢生。		周學洢 遷自通州州判。
沈霖昌 浙江德清人，監生。		
楊中選 雲南尋甸人，舉人。		

四十五					歸景熙			
四十九年前			楊瑛昶詳傳。					
五十				林□五月任，五十一年二月去。				
五十一				葉荃江西新建人，庚辰舉人，二月任，五十五年正月去。				
五十五				方□正月任，五月去。 夏蘭五月				沈振鵬字子萬，浙江嘉興人，庚子進士，後

				任，嘉慶三年六月去。				攝密雲。（據趙懷玉亦有生齋墓誌銘）
五十六		李騰蛟詳傳。						
年未詳	王治歧遷自薊州州判。							陳倜儀詳傳。
嘉慶三年		孫樹本浙江烏程人，重修鳳河東、西堤。		郭□六月任，四年三月去。				
四				王□三月任，八年七月去。				
六		朱杰詳傳。						

八				程□七月任，九年三月去。				
九				李□三月任，十二年八月去。				
十二				王□八月任，十月去。沈□十一月任，十三年三月去。				
十三				李成集詳傳。				
十四							秦承霈江蘇金匱人，監生，	

							十月任，十六年遷知涿州，歷署通州，南路同知。	
十七				何步衢陝西南鄭人，壬子舉人，六月署，八月去。王朝榘詳傳。				
十九								劉體仁詳武清傳。
十九年後		劉體仁詳傳。						
二十				孔繼鴻山東曲阜人，辛酉				

				進士，十月署，二十一年六月去。				
二十一				傅德臨浙江山陰人，戊辰進士，六月任，二十五年三月去。				
二十二		竇景燕四月任，詳南路同知。						
二十五		劉澐四川銅梁人，舉人。（據石各莊關壯繆廟聯題名）		吴學輪江蘇吴人，監生，三月署，六月去。 張廷儀				

	道光元年	三	四
		張洽 調自香河知縣，善折獄，餘詳宛平。	
		劉澐 調自武清。	蔣超曾
山東金鄉人，己亥舉人，六月任，道光元年六月去。	何繼志 奉天人，戊午舉人，六月署，十二月去。 俞諒 詳傳。		歐聲振
			資鎮衡

	五	六	七	八
			郭夢齡 調自香河，十二月任。	
江蘇吴人，進士，編修。		林靖光 福建侯官人，舉人。		歐陽學
雲南易門人，拔貢，十一月署，五年十月去。	唐宗泰 河南汝陽人，丙午舉人，十月署，八年九月去。			孫元彬
湖南耒陽人，拔貢，七月任，十年署南路同知。				
				藍□□

	九	十
		呂詒安詳傳。
湖南新化人，舉人。	馬登俊山東昌邑人，進士。	黃育梗甘肅狄道人，舉人。黃之瀾江西南豐人，監生，調自南皮，十一
雲南昆明人，甲子舉人，九月署，十二月去。唐宗泰十二月復任，十一年七月去。		

	十一	十二
		錢任鈞 浙江仁和人，丁卯舉人，調自高陽，十一月任，明年十二月去。
		單文誥，調自甯河，十五年十一月調署宛平。
年遷北路同知。		黃維炘 江西南昌人，監生。 王光鍔 四川巴人，舉人，五月任。
	陳毓棠 雲南河陽人，庚午舉人，七月署，十一月去。 唐宗泰 十一月回任，十二年五月去。	陳大忠 貴州黎平人，癸未進士，正月署，七月去。 單文誥 安徽婺源人，監

	十三	十五
	狄鳴鑾十二月遷自宛平丞，十七年四月去。	
		陳述之湖北江夏人，修縣西北隅。
劉巘山東單人，舉人，九月去。	許瀚江西南昌人，副貢。	項光貴州貴筑人，舉人。李宣範山東鄒平人，舉人。
生，七月署，十月去。楊夔生江蘇金匱人，供事，十月署，十三年二月去。	周震青詳傳。	

十六		單文誥 回任，十八年調知邢台。	冉學詩 詳三河。 李淅 山東 昌邑人，舉人，十一月任。	方觀化 安徽貴池人，監生，十月署，十七年三月去。			
十七	冉學詩 山東曹人，冉子十七世孫，道光三年，臨雍恩貢，捐知縣，四月署，七月去。 雷致亨 江西南豐人，丁丑進士，調自阜平，		金照 浙江 錢塘人，舉人。	李涵純 浙江諸暨人，貢生，三月署，四月去。 陳稼生 字興軒，江蘇□□人，壬午舉人，四月任，八月去，十月回任，十八年十一月去。			

	八月任，十九年六月去。			冉學詩 八月署，十月去，詳三河。 陳稼生 回任。				
十八			劉夢熊 河南虞城人，舉人。 陳稼生 十二月任，詳甯河。	余稼雲 浙江仁和人，戊辰舉人，十一月任，十九年去。	金照 浙江錢塘人，舉人。		張進 安徽含山人，拔貢。 冉學詩 詳三河。 林安佐 詳三河。	
十九	林安佐 浙江上虞人，難廕，襲雲騎尉，改知	曹笏 字石樵，浙江人，進士，杜私謁，善折獄。		李協中 甘肅西甯人，拔貢，五月任，七月去。 王蘭桂			成芳 江蘇清河人，監生。 許本詮 湖北天門人，拔	

	縣，六月署，二十二年十月去。			詳傳。			貢。白諳山西太谷人，舉人。	
二十		李正培四川岳池人，修明倫堂、鳳河隄，遷西路同知。	張元杰山東館陶人，進士。		雷致亨詳三河。			
二十一	郭景儀山西陽曲人，乙酉舉人，大挑一等，十月署，二十二年十一月去。			朱以升字次雲，浙江仁和人，庚子進士，十二月署，修岑樓，入名宧。				唐盛山西朔人，進士，調三河。
二十	唐盛十一			黃炳廣東				

二	二十四	二十五
月調自懷柔，二十四年十一月去。	姚培基 山西大同人，辛卯舉人，十一月署，二十五年三月去。	
		劉寶楠 詳傳。 倪烒 浙江會稽人，舉人。
鎮平人，副貢，正月署，五月去。 朱以升 復任，二十四年五月去。	喬邦哲 詳傳。	
	朱以升 詳甯河。	王金相 山東莒人，進士。按：昌平志云舉人，今據密雲薛志。

二十六	唐盛 三月回任，十月去。 劉仲錕 山東濱人，己亥舉人，十月署，十七年正月去。			朱以升 復任，二十七年正月去。	劉體直 山西太平人，監生。		薛榮 詳良鄉傳。 王金相 詳昌平。	呂圻 江西建昌人，甲辰進士，五月任，後歷霸州、密雲、昌平、涿州，西路、北路同知。 王光熊 奉天承德人，歲貢，八月署
二十七	程仁傑 由順天照磨、良鄉知縣，正月署，十一月去。 佈彥 鑲紅		王者詔 山東濟陽人，進士。	劉克邁 江西廬陵人，乙未進士，正月任，五月去。 朱以升			謝蘭省 廣東英德人，進士。	劉仲錕 六月署，餘詳三河。

	旗蒙古人，庚子進士，調自清河，三十年二月去。			復任，二十八年正月去。				
二十八			楊春和 貴州貴筑人，進士。 戴臣法 廣西臨桂人，進士。	孫超 江蘇通州人，戊戌進士，二月任，二十九年去。			陳壽昌 浙江山陰人，舉人。	
二十九			王啟疆 陝西岐山人，舉人。	薛榮 二十月署，三十年去，詳良鄉。			楊贊襄 江西豐城人，進士。 劉愷 甘肅人，丁未進士，署。	

三十	咸豐元
李朝儀二月署，調自平谷，咸豐元年五月去，餘詳府尹傳。	尹佩瑲
吴中順江蘇鎮洋人，辛巳舉人，咸豐元年四月署宛平，後補懷柔，調宛平，歷薊州，北路同知。	
魏謙六河南郟人，進士。	車汝震
孫超二月回任，十二月去。王光熊奉天承德人，十二月署，咸豐元年閏八月去。	黃開鼎
戴沛雲南文山人，舉人。	呂圻詳北
呂圻遷自懷柔，轉昌平知州。	高鑲雲
王貽穀二月署，詳房山、香河。姚培基山西大同人，辛卯舉人，二十二年揀發，歷署懷柔、平谷、大城、三河、香河、保定、良鄉，八月任。劉鎧十二月署，餘詳密雲。	黎鴻恩

年	二	三
雲南蒙自人，庚戌進士，五月署，二年正月去。	劉寶楠 正月任，三年五月去，詳傳。	劉鎧 甘肅武威人，丁未進士，五月署，六月去。吳承祖 六月由東路同知兼
	胡啟文 詳傳。	
調自香河。		
福建龍溪人，壬午舉人，閏八月任，四年三月去。		
路同知。		呂嘉端 安徽旌德人，舉人，署。
署，詳房山傳。李鏡瀛 湖南巴陵人，舉人。		
四川奉節人，監生，四月任，三年調署良鄉，回任後，歷署宛平，北路同知。		周如城 山東歷城人，甲辰舉人，六月署。黎鴻恩 九月由良鄉回任，

	攝，七月離。劉寶楠七月回任，五年九月去，詳傳。							四年署宛平。
四			熊存瀚江西鉛山人，舉人。	過錦雲貴州貴筑人，壬子舉人，三月署，五年三月去。				楊應選雲南人，乙未舉人，正月署。宋曾文七月由密雲石匣丞署。李銘翰河南夏邑人，癸卯舉人，十月署。
五	王啟疆	吴中順	劉秉琳	張昭詳				周道淮

	六
陝西岐山人，乙酉舉人，九月署，六年正月去。	王栻 浙江 鎮海人，乙未舉人，大挑知縣，正月署，四月去。 石衡 廣東 番禺人，癸卯舉人，選江西安仁縣，奏留順天，四月署，七年九月去。
回任，尋去。 蕭尚欽 貴州平越人，癸巳進士，庶吉士。	楊謙柄 江蘇陽湖人，丙午舉人，署，餘詳寶坻、懷柔、昌平、固安，南路同知。
湖北黃安人，進士。	
傳。	
	李上林 江西上高人，癸丑進士。 賀瀛 山東 歷城人，七月署，十二月實任，八年署大興。
	王寶權 山東聊城人，進士。
四川金堂人，乙未舉人，六月任。	李上林 六月由順義知縣兼署。 彭爵麒 安徽懷甯人，己酉舉人，八月任。

七	蕭履中河南祥符人，供事，九月署，八年六月去。	石衡調自三河，九年去。	楊謙柄署，詳武清。劉秉琳八月回任。					
年未詳							張瀚廣西馬平人，舉人。	
八	王鍾六月遷自順天經歷，同治元年四月去。			孫鴻基江蘇金匱人，監生，十一月署，九年九月去。	趙從儉陝西臨潼人。			楊謙柄歷署武清、寶坻，六月任。
九			孫鴻基詳甯河。	毛慶麟字芷卿，浙江遂安人，己酉拔貢，九				鄭兆同浙江嘉興人，壬子舉人，九月任。

	十
月任，擒鹽梟，葺城修橋，十年去。	陸慎言江蘇元和人，監生，六月署，七月去。 毛慶麟回任，同治元年七月去。
	潘霨詳傳。
	高驤雲六月任，詳房山傳。 郝聯薇由平谷兼理。 吕圻十月，由北路同知兼攝。 章燦浙江富陽人，甲辰舉人，十一月任。

十一	同治元年	二
	張鵬雲奉天錦人，優貢、教習、知縣，四月署，十二月去。郝聯薇十二月署，餘詳東路同知。	諶命年
石衡回任。		諶命年
余汝修八月任，詳永清。李識韓山西太平人，舉人，十二月任。	章燦浙江富陽人，舉人，八月任。	
	賀瀛山東歷城人，監生，七月署，二年六月去。	吳夢曾
	唐成棣江蘇江都人，監生。	楊因培
	蕭履中三月任，遷南路同知，詳三河。	張鵬雲
馮瑋七月署，詳房山。		陳斯槃

	三	四	五
五月署，調自武清，三年六月去。	宋彭壽 江蘇溧陽人，監生，六月任，六年四月去。		
江蘇上元人，壬戌進士，助書院膏火，五月調署三河。 彭瑞麒 六月署。	諶命年 七月回任。	孫宗寅 七月署。	吕嘉瑞 十二月署。
		吴履福 安徽涇人，舉人，八月任。	
字傅巖，安徽涇人，庚子舉人，重修渠梁、書院，祀名宦。	李賡雲 奉天錦人，壬戌進士，十二月任，十七年去。		
江蘇武進人，署。 毛慶麟 緝盜禁博，詳甯河。		童鳳喈 浙江鄞人，監生，署。	張鎔 江蘇甘泉人，坿生。
	李賡雲 五月署，詳甯河。	李應選 署，詳保定。	
詳三河。		厲能官 詳三河。	
浙江嵊人，監生，十二月任。			

六		七
許忠 江蘇吴人，供事，補子牙河巡檢，歷知深澤、臨榆，四月署，十月去。	厲能官 江蘇儀徵人，拔貢，知縣用，十月署，五月去。	孫桄 山東濟甯人，己酉舉人，捐內閣中書，改
邱銘勳 九月任，八月調署永清，詳永清傳。		李秉鈞 詳永清傳。
楊謙柄 九月再署。 吴履福 十二月回任。		楊蔚本 貴州遵義人，舉人。
		查光泰 正月由順天府經歷署，閏四月回經歷任。
郝聯薇		楊謙柄 詳武清。
		陸以誠 江蘇上元人，監生。
蕭焕榮 江蘇武進人，監生，署。		

	八	九
同知，五月署，八年十二月去。	周紹達 浙江諸暨人，癸亥進士，十二月任，十九年十二月去。	李應選 陝西渭南人，壬子進士，十二月署，十
	張邦瑞 五月署。 李秉鈞 六月署，詳永清傳。	邱銘勳 四月回任，十年署大興，詳永清。
	吴履福 回任。	
吕嘉端 十二月卒官，餘詳昌平州。	錢敏 浙江仁和人，監生，正月攝，三月去。 彭瑞麒 字春圃，福建崇安人，監生，三月署，九月去。	李賡雲 二月復任，十三年七月去。
		彭瑞麒 詳甯河。 楊謙柄
	唐鉞 遷自順天經歷。	
	李應選 正月署，詳保定。 孫蘭溪 山東樂安人，廩生，十一月任，十三年差，光緒元年回任。	

	十年六月去。				三月再署。			
十	周紹達六月回任，十二年正月去。	鄭沂二月任。					黃宗敬山東蓬萊人，監生。	
十一		李璋二月任。	丁符九江西德化人，優貢，五月任。		吴履福安徽涇人，丙午舉人。			
十二	王堃江西東鄉人，監生，捐通判，正月署，五月去。孫均河南武陟人，五月署，	毛璋山東濰人，乙丑進士，十二月任。	管近修江蘇江甯人，乙丑進士，題補，二月任。					

	九月去。周紹達 九月回任，十三年五月去。							
十三	查光泰 五月由順天府經歷任，光緒元年七月去。		蔡壽臻 七月任。	汪家勳 七月由大興知縣署，捐增孤貧費，光緒二年十一月去。	錢敏 浙江仁和人，監生。			蕭煥榮 五月再署。
光緒元年	陳鏡清 固安知縣，署通州，丁憂起復，七月署，二年七月去。		管近修 六月回任。查光泰 十二月任。					
二	管近修 七月由寶坻知縣		厲能官 九月任。	吳欽 字文俊，江蘇陽湖人，				姚鎔 十二月署，詳東安。

	三	四
署，三年二月去。	查光泰 二月回任，五年正月去。	
	管近修 二月回任。	趙英 三月任。 王埅 三月任，餘詳三河。
監生，三年修學宮，十一月署，三月去。	丁符九 三月調自文安，五年十一月去。	
	吴履福 再任。	
	陶治安 浙江會稽人，吏員。	
	張詳會 河南洛陽人，優貢，五月任。 孫德佑 十二月署，詳大城丞。	蕭焕榮 二月復署。 殷謙 貴州貴陽人，戊辰進士，刑部主事改知

	五
	張鈺 正月由永清知縣署，六月去。 查光泰 六月回任，以卓異遷知涿州。 王堃 七月再署，十一月去。 葉常芳 河南光山人，十一月署，六年二月去。
	王起俊 五月任。
	楊謙柄 五月由固安知縣署。
	李兆梅 山東歷城人，甲戌進士，十一月代理，六年去。
	陳嵋 山東蓬萊人，監生。
縣，四月任。	

六	何其翔 二月遷自良鄉縣丞，七年十一月去。	龔蔭培 正月署。蔡壽臻 十月任，修縣志。	劉枝彥 字竹坡，江蘇武進人，三月任，七年調署大興。管近修 七月復任。	丁符九 正月復任，修志。楊因培 六月由香河署。	宋文 奉天昌圖人，貢生，修州志。		趙文粹 廣西永甯人，辛未進士，卓異。	孫德佑 十一月再署。
七	張春熙 十一月任。		高醴泉 浙江仁和人，十月任。	趙文粹 二月任。管近修 十月任。		彭慶颺 十二月署，詳良鄉。	鄭沂 由北路同知兼署，歷官順天府治中。張鈺 江蘇儀徵人，二月由知永清縣署。丁符九	嚴暄 湖北江夏人，監生，七月任。

	八	九		順治元年
		何其翔回任。	涿州知州	張錦字文伯，冀城人，舉人，興學勸農，十年遷霸州兵備道，有
			房山知縣	張應召福建福清人。
	劉枝彥十二月回任，卓異。		霸州知州	朱議湨江西南昌人。
			文安知縣	李昌汴豐潤人，貢士。
			大城知縣	張世臣遼東人，遷松江同知。
		張春熙	保定知縣	楊掛禄浙江會稽人，歲貢。 孫光祚詳傳。
由知甯河縣調署。			薊州知州	
	彭慶颺二月由署順義知縣兼理，餘詳良鄉。 楊因培二月署，詳香河。		平谷知縣	陳經濟河南人，遷宣撫通判。

	惠政碑。							
二		林起鳳遼東甯遠人，累遷霸州兵備副使。	王瑞山東齊河人。孫茂蘭遼東遼陽人，官至延綏巡撫。	宋炳山東德州人，舉人，官至陝西兵備道。				
三		吴守寀江南武進人，進士，不受私謁。	張民望 崔冠玉山東茌平人。	秦世楨詳傳。				鄭賢漢軍，遷知南通州。
四		婁應奎詳傳。	田來鳳遼東衞人，七年修學宮。	李春元遼東人。	吴治滙詳傳。	潘浩山西太原人。		馬其昌河南人，進士。
五				錢世錦		劉武旗		牟雲龍

	六	七	八
		王來聘 調自大城知縣，修學宮，官至福建兵備道。 沈朝聘 奉天人，進士。	
江南盱眙人，進士。 郗詔 詳傳。			
	王來聘 遼東宣府人，七年調知霸州。		馬騰陞
人，六年七月土寇陷城，革。	秦簡 詳傳。		
詳傳。			陳瑾 漢軍

					詳傳。			，遷知廣東葛州。
九				王勸山東諸城人，進士。		陸光旭詳傳。		
十			王度山西沁水人，修學宮。	韓文詳傳。				
十一		毋配坤詳傳。	洪振江南建德人。					
十二					范發愚河南河內人，進士，官至陝西兵備僉事。			
十三			程萬仞遼東錦州人，修學		楊四瑞河南武安人，貢			

	十四	十五	十六	十七	十八
宮，遷知陝西慶陽府。					胡獻瑤 遼東金州衛人，康
			劉餘澤 山西隰州人，貢士。	郭天錫 河南商水人，貢士，名宦。	
士。		徐伸 詳傳。			
			張世傑 江西臨川人，進士，遷工部主事。		
	楊世滋 河南人，貢士。			張恪 河南人，拔貢。	

	年未詳
	劉有道奉天人。 聶進貴大同人，貢士。 楊瑜顯詳傳。
	曹期嘉南陵人，進士，以剛介左遷鳳翔經歷。 宋賓王浙江餘姚人，舉人。
熙五年修學宮，遷知福建漳州府。	
	魏民表貢士。 王皞山西人，貢士，吏不能欺。 文煥山東人。 于際清詳傳。 黃家棟奉天人，舉人，修譙樓，薊州張志入名宦。

							游啟運 湖廣人，拔貢，薊州張志入名宦。	
康熙元年						曹之秀 關東人。		
二		佟有年 詳傳。						方成棟 漢軍。
三		謝榮昌 浙江人，進士，遷東城兵馬司。					胡國佐 詳傳。	
年未詳							安可願 陝西人，貢生。 李世泰 奉天人，貢生。	

四		周于漆 江南人，進士。						
五					李瑗文 山西沁水人，己亥進士，縣志稱明敏。	謝晉卿 河南河內人，歲貢。		任在陞 陝西定安人，副貢，修縣志。
七			彭始騫 河南鄧州人。		吴材 福建甯洋籍，龍巖人，辛丑進士。		顧玳 江南江都人，舉人，卒。	
八				李芳華 河南濟原人，進士。	張象燦 詳傳。	成其範 詳傳。	郭宏崧 陝西人，廩生。	
九		朱嗣華 浙江餘杭人，拔	朱廷梅 遼東廣甯人，十二					

		貢。	年修學宮。					
十				楊翥浙江餘姚人，舉人，政平和。				
十一		樊永清山西太原人，拔貢，教習。		崔啟元詳傳。				
十三		王御江南太倉人，舉人。					余時進奉天正藍旗人，遷長蘆鹽運司同知，入名宦。	
十四年 前	劉建邦奉天人，以清勤著。 王汝賢							

浙江紹興人。

鄭玉　奉天人，廕生。

徐萬全　奉天人。

李勳　字靈臺，奉天人，報最，遷長沙知府。

胡來朋　字雲嵐，石埭人，拔貢，有政聲。

郭子治　字無爲，四川華陽人，拔貢。

敖翮 字凌秋，汝陽人，以廉慎稱。

孟之麟 太湖人，貢生。

任鍾麟 字玉坡，蒼溪人，舉人，編審公平。

傅鎮邦 字藩臣，奉天人，貢生，馭吏嚴。

李法祖 字士林，鐵嶺人，有善政。

	劉德宏 字毅公，奉天人，廕生。							
十五		吳天璧 江南臨川人，進士。		衛建藩 山西河津人，進士，興學校。				
十六							董廷恩 詳傳。	
年未詳								陳日呂 浙江人。 張彥璘 江南人，遷知隴州。 賈文龍 詳傳。
十八	曹封祖							

	字紫山，瀋陽人，修學宮。							
二十一		王貞度 湖廣黃陂人，監生。		□□捷 遼東鐵嶺人，監生。			王彥賓 鑲黃旗人，進士。	
二十二			汪惟琦 修學宮。				楊天祐 正白旗人，廕生，三十三年丁憂。	
二十三		王又汧 江南華亭人，進士，遷刑部湖廣司主事。						
二十五年前	王廷獻 奉天人。							謝迪 江西人，舉人。

二十五	
	陳一鳳湖廣人。 高登先安樂人，進士。
張朝琮詳傳。	
	程涞淮安人，進士。 周之麟湖廣人，進士。 錢以正浙江人，歲貢。 余學昌廣東人，舉人。 郎秉和遼東漢軍人，三十五年調三河。

三十	秦毓奇 奉天人，廉明。	羅在公 詳傳。						
三十二	張鼐 正紅旗人。			吳楫 浙江歸安人，乙丑進士。（據吳興科第表） 許天馥 江南蕪湖人，歲貢，有善政。				
三十三	李成龍 奉天正藍旗人，輕徭，官至尚書。						張朝琮 詳文安傳。	
三十七	武登科 鑲黃旗人，調知通			趙明鏡 山西翼城人，舉				

	三十八	三十九
州。	佟國翼 鑲藍旗人。	
人，三十八年調知沙河。		畢鼎 鑲藍旗人，廕監，移自沙河，後遷東路同知。 張應詔 湖廣五開衛人，舉人，有廉名，以憂去。 楊朝麟 正白旗人，積獄一清，特授同知銜。
		陳廷柏 正白旗人，生員，四十一年去。

四十一							張朝琮復任。	
四十二			楊䤉自遷固安，詳固安傳。					
四十三	楊䤉詳固安傳。	包咸南江吴江人，庚辰進士，六月任，四十六年引疾。						
四十四	趙光棨鑲藍旗人。							
四十八年前					王績自調懷柔。			
五十			王之琦					
五十	南君璋							

三	年未詳
四川人，由安州署。 顧欽吳江人，在任十年無廢事。	
	馮逸姿
	何訥崑山人，督修隄工，墮水幾死，以羨餘代逋稅。
	潘永圖詳傳。 黃煒 吳枚 李英 楊繹祖 錢孫振浙江仁和人，進士。 趙宏烈

雍正元年	楊承斌 雲南人，舉人，官至吏部侍郎。							
二	王□							
三	鄭錫爵 汾水人，進士，詰奸有能名。 倪岱 昌天錦 字倬菴，漳浦人，進士，省徭輕刑。							
四			郭允文					
五								李傑選 山西沁源人，丁未

								進士，署，民立遺愛碑。
六	彭人俟 詳傳。							項景倩 浙江錢塘人，修縣志。
七	許恆 江甯人，監生。							
八	黃理中 詳傳。							
十二	梁萬稷 絳州人，由天津通判署，斷獄嚴明，有包拯目。							
十三	許自召 詳傳。							李之容

	乾隆二年	五年前	五	六
	張德榮 詳傳。			
		祖延泰 詳傳。	韓國瓚 詳傳。	
廣東翁源人，戊子舉人，二月署。 魏橋 山東萊蕪人，戊子舉人，閏四月任。				何輝寧 江西臨川人，癸未進士，六月任。

	九	十
按：縣志，川謫州。	嚴宗璋江西宜黄人，拔貢，六月署。 張琮廣東靈山人，庚子舉人，九月任。	高幹山東館陶人，監生，三月署。 粟培初山西長治人，丙辰進士，八月任。

年								
十一	張志奇 山東利津人，進士，遷天津，廉介，好獎勵學者，累遷知宣化府。							
十五	李鍾俾						誇喀 自調東路同知。（據通州高志）	
十七								劉嘉誥 湖北江陵人，舉人，二月署。
十八	程有成 華亭人，進士。							曾浴洙 福建晉江人，己酉舉人，三月任。

十九								朱惇允江南長洲人，監生，正月署。江聲浙江烏程人，壬申進士，庶吉士，八月任。
二十	邱錦漢陽人，由房山知縣署。							
二十一	程有成再任。							
二十二	黃元圮臨桂人，進士。					孫似梅建玉河書院。（據一統志）		張蘭芳山西介休人，庚午舉人，十

一月任。

	西蒙額鑲藍旗人，舉人，由西路同知署。陳其典同安人，由保定清軍同知署。吴世臣浦城人，遷自良鄉知縣。						
二十三						芮泰元建燕平書院。（據一統志）	
二十四			狄詠篪二十六年修學宮。				
二十	李化楠						

七	二十八	二十九
羅江人，進士，由候補同知署，有善政。	吳山鳳 詳傳。	
	商衡 浙江會稽人，進士。	
	吳龍光 浙江錢塘人，舉人。	
	馮履咸 山西代州人，進士。	
	張秉鐸 甘肅固原州人，貢生。	
	陳見龍 廣東順德人，進士。	
	修禮 滿洲，正黃旗人，監生。	
	陳純基 福建閩人，甲子舉人，正月由定州州同署。 戴芬 江蘇華亭人，乙卯舉人，十月署。	鄧來祚 江西南豐人，三月署，民立遺愛碑。

三十一

周禮 南昌人，貢生，二月任。

金世麟 豐城人，舉人，六月由易州知州署。

馮履泰 代州人，舉人，十一月任。

郭賓 遼州人，十二月由州判署。

馮履泰 十二月復任。

三十三				阮基 葺城，修橋，濬池。（據日下舊聞考）				張鈍 貴州定人，癸酉舉人，三月署。 欒芳梅 江西口興人，乙卯舉人，五月任。
三十四	李應虞 東平人，進士，十一月遷知平遠州。 蘭第錫 吉州人，進士，十一月由永定河同知署。		王道亨 江蘇吳人，副貢。					
三十	王錦林							聶瀅 南湖

五	蕭山人，舉人，二月任。							新化人，庚午舉人，二月署。蕭附鳳貴州都匀人，辛巳進士，六月署。
三十七	李浚原山陰人，舉人，二月由候補同知署。劉民牧潁上人，六月任。			郝連奉天開原人，進士。	張德樹安徽祁門人。	張德廣東惠來人，舉人。	梁肯堂浙江錢塘人，舉人。	陳希獻江西甯州人，庚辰舉人，六月署。朱克閎河南嵩人，舉人，十月任修縣志。
三十九	張在榆次人，廪貢，八月由							

	候補同知署。劉民牧回任。							
四十	歸景熙常熟人，監生，十一月由任邱署。馮履泰十二月又由候補知州署。							
四十一	劉民牧正月回任。陸耀仁和人，監生，十月由良鄉知縣署。							

	四十二
王安 安邑人，貢生，十月任。 胡璉 開原人，進士，十月由祁州知州署。	張世法 湘潭人，進士，三月由房山知縣署。 郭守璞 濰縣人，舉人，三月任。 陸耀 再由良鄉知縣署。

	郭守璞六月再任。 張鈍安順人，舉人，十二月任。 郭守璞十二月再任。							
四十四	張鈍四月再任。							
四十五	劉民牧九月再任。 盛鎑元和人，監生，十二月任。		王安					

四十七	張崑涇陽人，進士，三月任。 戴山年濟甯人，五月任。 吳輝祖浦城人，監生，七月由西路同知兼任。 戴山年七月回任。
四十八	范清隆介休人，監生，十月任。

五十	宋鋆安邑人，附貢，十月任。							
五十五	金之忠安徽桐城人，六月任，九月遷河間府同知。 宋鋆九月回任。							
五十六	楊隨堯順昌人，三月任。							
年未詳							嚴宗嘉詳傳。 熊繹祖	王崧四川人，舉人。 劉注廣東

詳三河傳。
宋宗元
長全滿洲人。
永慧蒙古人，舉人。
裘肇師浙江仁和人。
郭守璞山東濰縣人，舉人。
張琨陝西人，進士。
蕭附鳳

人，舉人。

	五十七	五十八
詳平谷。 潘應椿安徽歙人，舉人。 王若常詳傳。 劉念拔江西奉新人。	王瀾遷自薊州州判。 徐士俊江蘇元和人，監生。	姚祖善浙江錢塘人，六十年去。

六十	年未詳
陶嗣曾四月由州判署。徐用書平遠人，舉人，四月任。陶嗣曾六月再署。徐用書七月回任。	
	逯選山東長清人，副貢。張元濟 劉坤湖北人，副貢。
陳鶴翔廣東南海人，舉人。鄒開旦 張顏江蘇如皋人，貢生，嘉慶四年去。	

嘉慶元年	二	三	四
	孟生草 太谷人，進士，十一月由西路同知兼任。 張麟書 榆次人，舉人，十二月任。	徐用書 正月回任，八月遷知冀州。 劉浩 詳傳。	王如茂
顧賓臣			
			楊瑛昶

易門人，進士，四月由房山知縣兼任。

劉浩 四月回任，六月移署，東路同知。

六月署，詳實坻傳。

沈錦 字中夫，浙江歸安人，己亥舉人，十一月遷南路同知。

沈長春 字小如，浙江歸安人，己亥舉人，十二月去，官至湖南按察使。

郭照藜 山西芮城人，舉人。

五	六
	金際曾 永嘉人，舉人，正月由臨榆署。 孫式典 太原人，副貢，十月由州判署。 沈錦 十月由候補知州署，詳薊州。 王盛清 蓬萊人，舉人，十二月任。
趙宜霖 南豐人，監生。	莊一鶴 安徽六安籍，江蘇武進人，九年卒。

七							劉青蓮山西壺關人，舉人。	
九			李師舒河南濟源人，進士。				趙錫蒲山東冠人，拔貢，建洗心書院，十二年以憂去。	
十	邱錦騏代州人，舉人，正月署。王盛清七月回任。							
十一	王德棻靈石人，六月由良		韓憲曾江南江甯人，四庫					

	十二
鄉知縣署。劉國霖長邑人，六月由試用知縣署。周景商城人，附貢，八月任。	
	邵元忻浙江餘姚人，正月任。湯承恩浙江仁和人，舉人，正月署，四月去。沈一仁
館議敘，署。李元林四川成都人，供事署。	
	陳上理江西南昌人，舉人。李枚四川成都人，供事。

	十三	十四
	沈一仁六月由房山兼署。周景八月又由西路同知兼任。張暉吉榆次人，廩貢，八月任。	趙宜霖南豐人，監生，七月由試用知州署。
廣西橫州人，舉人，四月署，十二月去。		
		張道渥山西浮山人，貢生。
	柯映伊甘肅武威人，舉人。陳景登廣西馬平人，舉人。胡士連湖北天門人，舉人。	

十五	黃理二十月由州判署。王德棻十二月再任。	黃克昌江蘇武進人，監生，十二月署，十六年去。					趙錫蒲復任。王鼎言江蘇上元人，監生，遷自良鄉縣，十八年去。	
十六	宋繼光長洲人，監生，十月由西路同知兼署。秦承霈十二月遷自密雲知縣。	吳紹泰江西都昌人，拔貢，八月署。						
十七	劉青蓮五月由西路同知兼	卜光煜雲南昆明人，舉						方廷湖浙江人，舉人，二

	十八	十九
署，餘詳薊州。 秦承霈 五月回任。	李武曾 二月由州判署。 呂嗣闕 新安人，舉人。	
人，八月署。 王鎮 廣東海康人，監生，十二月署，十八年去。	盧奎 山西永濟人，進士，六月任，二十二年去。	
	孔昭誠 正月任。	汪兆霖 五月任，詳薊州。
	周德純 四川達縣人，戊申舉人。 汪兆霖 湖北黃岡人，癸卯舉人，署	包棻 江西南城人，乙丑進士，二十年去，後遷
月任。		

	二十	二十一	二十二
	胡士連 署，詳薊州。 盛世綺 秀水人，供事，九月由遷安署。		
			張翰仙 陝西藍田人，戊午舉人，五月署，二
		甯雲鵬 由薊州知州署。 何貞 浙江山陰人，以清慎著。	汪兆霖 署，詳薊州。
順天東路同知。	甯雲鵬 山東蓬萊人，甲辰進士，署。	司馬章 江蘇江甯人，附貢，遷自縣丞，二十二年去。	
	繆鴻 江蘇江陰人，供事，四月任。		

	二十三	二十四	二十五	道光元
十三年實任，道光元年去，餘詳宛平南路同知。				張汝敦
	盧奎詳傳。	韓紹均山西汾陽人，署。		
			李春華十二月署。	
	何維綺山東新城人，貢生，遷自布政司經歷，二十五年去。		沈旺生浙江桐鄉人，署，遷磁州知州。	汪兆霖
	耿履端四川人，進士，七月任。			胡牧湖北

年	二	三
	張範東 濟陽人，進士，由平谷知縣署。 陳晉 吳縣人，進士，三月由景州署。 包棻 十一月由候補知州署，詳薊州。	
安徽人，舉人，署，二年去。	張翰仙 六月再署，三年去。	陳珻 河南光山人，拔貢，六
	胡寅 湖北天門人，舉人。	
		閻錦麟 山西保德人，副
前署今補，四年正月去。		
人，舉人，七月任。		茹元越 奉天人，拔貢，九

	四	五
		秦承霈四月又由景州知州
月署，十月去。金鼎梅貴州廣順人，進士，十月任，六年七月去。		李□□署，見張汝弼傳。
	王敬宗山東濟甯人，優貢，署。閻錦麟署，詳大城。	葛蔭梓河南虞城人，舉
貢，三月任。陳晉四月署。歐聲振十月署。	潘化樞閏七月任。	
	陳楷安徽石埭人，由鹽大使署。魯如式浙江會稽人，則例館供事，署。	謝宗江西信豐人，辛酉拔
月任。王忠輔陝西人，十二月任。		

	六
署，建鳴澤書院。	包棻八月回任。
	梁熊甘肅靈州人，廩生，七月署，九月卒。 余壽康浙江諸暨人，九月署。 歐陽棻江西安義人，拔貢，九月任，七年正月去。
人。 熊光禧安徽潛山人，監生，署。	盧建基四川墊江人，監生，七年修學宮。
	吳家懋三月任。
貢，九年八月吏議去。	

七	八	九
	霍登龍 內黃人，拔貢，七月由知縣署。	林靖光 詳傳。
		蔡應桓 四川安岳人，舉人，正月署。屈廷鉞 江蘇昭文人，舉人，四月署，十一年去。
黃育梗 正月署。劉巘 四月任。		
		周衡 四川涪州人，甲寅舉人，署，調石景山同知。沈鋭 二十月任，詳傳及縣丞、良鄉知縣、薊州知州、治中表。

十			孫元彬雲南昆明人，舉人。				沈鋭十月由治中回任，遷南路同知，餘詳上。	
十一	蔚音芳朔州人，增貢，六月由候補知縣署。	賴以立江西奉新人，舉人，七月署，十二年去。 蘇燿河南寶豐人，舉人，七月任，十二年去。	姬均詳傳。					
十二	林靖光二月再任。 蔚音芳	沈肇基浙江山陰人，七月署，閏九月去。			雷致亨八月署。		華濬江蘇丹徒人，進士。	李淛山東人，舉人，八月任。

	十三
八月再任。	倪警 浙江山陰人，監生，三月由布政司經歷署。 何朝恩 七月由房山縣署。 趙庭椿
段紹圭 湖南常甯人，舉人，閏九月署。 何朝恩 江蘇清浦人，進士，十月任，十三年去。	狄鳴鑾 江蘇溧陽人，監生，七月署，八月去。 何朝恩 八月回任，十月去。 楊鉅源
	何志清 四月任。
王步陵 陝西人，舉人，十一月任。	徐延年 奉天人，貢生，九月任。 陳金漢 福建人，舉人，十二月任。

	十四	十五
浙江山陰人，八月由遷安知縣署，修學宮。楊鉅源清江人，舉人，十月由房山署，重修雲峯書院。趙庭椿十一月再任。		
江西清江人，舉人，十月遷自□□訓導。沈肇基十月再署。楊鉅源十一月回任，十五年去。		金照浙江錢塘人，舉人，教
		許翰江西南昌人，副貢。
	葉儁昌山東人，進士，四月任。	

	十六	十七	十八
			韓振歐
習，二月任，十七年去。		陳虞裔 廣東四會人，舉人，五月署，六月去。 宋嘉玉 廣東鶴山人，進士，六月任，十八年去。	許本銓
			丁希陶
		韓象鼎 三月署。 冀洪 九月任。	
楊夔生 江蘇金匱人，議敍。	熊光喜 楊夔生 復任。	楊本濬 八月署，餘詳南路同知。 劉遵海 河南祥符人，進士。	
			林世裕

	涇陽人，進士，二月署。蔚音芳 八月再任。李宣範 詳通州傳。	湖北天門人，拔貢，十二月任，十九年去。	雲南楚雄人，進士，署。韓象鼎 山東章邱人，進士，署。					福建人，舉人，三月任。
十九	王賡 銅梁人，舉人，十二月任。	劉淑愈 山東費人，進士，六月任，十月去。王貽穀 浙江昌化人，癸酉拔貢，十月署。	許本銓 創建益津書院，詳房山。		丁希陶 三月署。陳炳常 九月任。			
二十		范承遜 山東霑化人，進士	高際昌 安徽舒城人。				劉遵海 詳北路同知。	

	二十一	二十二
	范承遜六月由房山署。林世裕侯官人，舉人，六月由候補知縣署。吳承祖建昌人，舉人，十一月任，勤且敏，遷東路同知。	
，三月任，二十二年去。	王金相山東莒州人，進士，十月任，二十五年九月去。	
		畢昌緒署，詳永清傳。
	劉寶楠詳三河傳。	
	許本銓閏三月署。凌志召十月任。	倪承弼八月署。鄒道林
	高午由宛平知縣署。王蘭桂陝西中都人，拔貢。	
	晏棻四川人，進士，九月任。	王鳳文山東人，貢生，八月任。

					十一月任。			曹濯新詳傳。
二十三	饒熙雲南恩安人，拔貢，九月由候補知縣署。吳承祖十月回任。		劉體直山西太平人，調知昌平州，兼署北路同知。		李方儀三月署。喬邦哲十月任。姚培基十月署。			
二十四			喻元霈湖北黃梅人，舉人，署。饒春熙雲南恩安人，拔貢，署。		喻元霈四月任。魏尊德六月署。吳中順十一月任。		范承遜詳房山。	姚培基山西人，舉人，六月任。祁潔河南人，舉人，八月任。
二十	劉體直	曹汝愚						倪烒浙江

五	二十六	二十
七月任，詳霸州。郭寶勳四川納谿人，舉人，十二月任。		
山西平定人，舉人，九月任，二十七年二月去。		戴臣法
	呂圻由懷柔知縣署。楊金駿河南太康人，監生，署。	龔泰階
	蕭尚紱六月任，三十年去。	
		毛永柏
人，舉人，三月任。齊祥慶福建人，舉人，四月任。馬光型四川人，舉人，十月任。	周啟稷廣西人，舉人，四月任。郭崇亮山西人，舉人，十二月任。	曹汝愚

七	二十八	二十九	三十
廣西臨桂人，進士，二月任，二十八年六月去。李圖山東掖人，拔貢，六月署，三十年五月去。			宮國煦山東蓬萊人，舉
江蘇長洲人，監生。劉仲錕山西人，副榜，署。	喬作新山西聞喜人。		
			蔡錫申五月署。
			姚培基正月任。
奉天甯河人。倪烒浙江會稽人，舉人。			
四月任，餘詳房山。		李朝儀三月任，詳府尹傳。	王乃謙廣東人，舉人，二

	咸豐元年	二
人，五月任，咸豐元年五月去。	周啟稷 五月署，八月去。 李圖 八月回任，二年五月去。	張汝弼 詳傳。
	王應奎 三月任。 劉仲錕 十一月署。	王啟疆 十月署。
李鏡瀛 二月任。	王啟疆 八月任，二年去。	宮國煦 七月任，四年去。
	孫超 江蘇通州人，進士。 高驤雲 署，詳房山傳。	吳中順 詳宛平縣。 王福庚 浙江錢塘人，舉人。
月任。 白維 山西人，供事，二月任。		吉祥 江蘇人，舉人，五月任。

三	吕圻建昌人，進士，十一月由昌平知州署。	周如城十月任，四年四月去，餘詳懷柔。	楊應枚詳傳。		陳廷均正月任。曾世槐八月署。石衡十二月署。		吳中順復任。	汪福庚浙江錢塘人，舉人，六月任。
四	齊祥慶侯官人，附貢，正月任。張和甘肅和州人，進士，八月任，修永濟橋。	張汝弼四月回任，六年九月去。		李在庚八月任。	劉秉琳七月署。	高驤雲二月任，五年去。	馮襄四川鄰水人，舉人。	齊士蕃湖南湘潭人，丙午舉人，十一月任，歷固安知縣，南路同知。
五			楊應枚詳傳。趙瀚雲南		吳履福三月署。曾貫之	李應選陝西渭南人，丙子	吳中順復任。	余啟咸浙江人，八月任。

			昆明人，舉人，三月任，以清慎著。		七月任。	進士，後調固安，歷署順義、文安、懷柔。		
六		高驤雲 詳傳。		樊作楝 五月署。 楊應枚 九月署。	許漢芳 九月署。		馮慶揚 福建閩人，舉人。	周如城 山東人，舉人，七月任。
七		吳宏燾 湖南湘陰人，廩貢，九月任，十一月卒。 高驤雲 十一月再署，十二月去。 李識韓 十二月署，八年十					李上林 江西高縣人，進士。	吳履福 安徽人，舉人，正月任。 郭瀚 山西人，貢生，四月任。

		二月去。						
八	張瀚 馬平人，舉人，正月署。 鄧錫恩 八月任，詳通州。	李海樓 河南扶溝人，拔貢，十二月任，同治元年五月去。		潘履恆 三月任。	彭爵麒 七月任。	崔本中 十二月任，十一年去。		
九	賀瀛 七月由大興知縣署，十年署南路同知。				高驤雲 四月署。 倪人垧 五月署。 曾世槐 六月署。 陳鸞 十月任。		樊作棟 江蘇安邑人，舉人。	宋曾文 三月署，詳懷柔。
十	鄧錫恩 七月回任。			郭志聰 閏三月署。	楊昌江 六月署。		曹大綬 浙江蕭山人。	郝聯薇 山東棲霞人，書識

	十一	同治元年
		趙瀚 六月由霸州知州署。
		楊應枚 五月署，二年四月去。
		曾世槐 四川隆昌人，舉人，六月署，以布稅助書院膏火。
	鄒在人 六月任。	耿垂紳 七月署。
	彭瑞麒 十一月任。	
	姜璇 安徽懷甯人，四月任，同治二年去。	
馮瑋 詳房山。	曹大綬 復任。 賀瀛 山東歷城人，監生，三月任。	熊存瀚 江西人，舉人，正月任。 毛慶麟 浙江遂安人，拔
，三月任，十年兼理懷柔。 耿垂紳 山西人，舉人，十月任。		張鶴千 山東人，拔貢，六月任。

							貢，七月任。宋維光十月任，詳霸州傳。	
二	鄧錫恩正月回任。郝聯薇五月署。	吳山壽江蘇陽湖人，四月任，十二月去。李承熙十二月任，三年十一月去。	毛慶麟三月署。陳如瑶山東菏澤人，附貢，十月任，四年修學宮。	唐鉞三月署。曹大俊八月任。	張瀚二月任。楊應枚四月署。	宋彭壽江蘇溧陽人，監生，正月署，三年五月去。	顧承惠浙江山陰人，監生，八月任。	杜義行山東人，舉人，十二月任。
三		楊蔚本貴州遵義人，舉人，十一月任，四年四月去。			彭瑞麒九月再任。	孫宗寅河南汝州人，辛酉拔貢，五月署，四年去。	蘇汝謙廣西靈川人，舉人，四月任。	李璋河南西華人，丙辰進士，調署香河。

四	五
邱銘勳四月署，十一月去，歷武清、永清、大興、宛平，南路同知，詳永清傳。楊蔚本十一月回任，五年七月去。	馮瑋河南武陟人，舉人，七月署，六年九月去。
	李應選二月署，詳保定。沈賡颺十二月任。
戴儀雲南呈貢人，丁酉舉人，七月任，十一年去。	
陳鏡清三月任，詳武清丞。吳夢曾詳甯河，七月任。張鎔十月任。	吳夢曾四月復任。
黃曾三月調自香河。	楊因培十一月署，詳香河。董駷浙江人，十一月以候補經歷署。

								龔嘉楨 河南人，監生，十一月任。
六	張鎔 十月 由昌平知州署。	書端 滿洲 正黃旗人，九月任，七年七月去。	宋維光 詳傳。					李璋 河南 人，進士，四月任。
七	郝聯薇 十一月回任，十一年四月遷東路同知。	史炳 山東 樂陵人，廩貢，七月署，十一月去。 高建勳 山東章邱人，監生，十一月任，八年四月去。	陳如瑶 十二月復任，十年九月卒。	周紹達 十二月署。			陶彥壽 江蘇長洲人，監生，四月署。 錢敏 浙江 仁和人，監生，八月任。	管近修 江蘇人，進士，七月任。
八		陶彥壽		劉枝彥	李璋 三月		宋彭壽	李壽民

	九	十
高建勳四月署，詳薊州。十月回任，十年五月去。		湯釗四川巴人，監生，六月署。 王爾琨由良鄉六月署，十
		蔡壽臻浙江桐鄉人，十月署，放賑竭心力，丁憂去。
十一月任。	諶命年二月署。 丁符九江西德化人，十二月任。	
任。	厲能官八月署。 彭瑞麒三月復任，遷知昌平州。 張邦瑞正月任。	
七月任，詳保定。		
山西人，監生，八月任。	陸以誠江蘇人，閏十月由從九署。	

		一年修縣志。						
十一	石衡字賓田，廣東番禺人，舉人，四月由順義知縣署。高建勳由良鄉知縣署，遷知通州，詳房山。	張邦瑞浙江會稽人，十月署，十二年十一月去。	沈秉壽浙江歸安人，正月署。周乃大浙江諸暨人，舉人，二月任。	管近修五月署。	莊允端二月任。	孫均河南武陟人，七月署，十二年四月去。	尋鑾晉山西榮河人，進士，庶吉士，正月任。李秉鈞詳永清傳，八月任。	馮瑋四月署，餘詳房山。
十二	周紹達浙江諸暨人，癸亥進士，二月遷自三河知縣。錢敏七月遷自天津知縣，詳	賀瀛山東歷城人，監生，十一月署，卒。張邦瑞十一月復任，十三	李秉鈞署，詳永清傳。王爾琨十一月由房山知縣署。	夏恩榮正月代理。丁符九二月回任。		戴儀四月回任，光緒元年七月引疾。	錢敏正月復任。宋彭壽三月再任。	王益壽山東人，優貢，八月任。

	十三	光緒元年
薊州。	吴履福 五月調自昌平知州。	
年三月去。	梅宗望 江蘇上元人，監生，四月署，光緒元年正月去。	陳鏡清 山東濟甯人，監生，正月署，七月去。 陸其昌 七月以典史兼攝。 查光泰
	宋文 奉天昌圖廳人，貢生，六月任。	
		馮瑋 十二月署。
		司銘三 山東蓬萊人，壬戌進士，七月任。
	龔嘉楨 雲南人，正月任。 蔡壽臻 二月任。 彭爵麒 三月任，詳懷柔。	
	文邦從 四川人，舉人，十一月任。	

		七月由三河署，後署寶坻。梅宗望 十一月回任，七年十月去。						
二					管近修 正月署。	趙浚 河南新鄉人，廩貢，九月任。	劉枝彦 十二月任。	
三	楊謙柄 五月由固安知縣署，餘詳武清。			張雲霈 八月任。	蔡壽臻 六月任。			
四	陳鏡清 二月遷自固安知縣。			王益壽 三月署。				張雲霈 山東人，舉人，四月任。

五	六	七	八
	查光泰七月遷自三河知縣，濬河修道，建倉積粟，再舉卓異，遷治中。		
		趙欽舜山東海陽人，十月署。	
	劉中瀚山東沂水人，拔貢，七月署。		蔣汝修
	陳紹諶二月署。	張雲霈六月回任。	殷謙正月
張鈺七月署。蕭煥四月署。		李均豫二月任。	張鈺四月
	彭爵麒三月復任。	王益壽七月任。彭爵麒十一月回任。	
	蔣嘉霦江蘇人，監生，八月任。宋淵涇河南人，監生，十二月任。	陳景龍□□人，廩貢，十一月任。	

			江蘇無錫人，六月任。	代理。	再署。		
九		吳克昌四川井研人，進士，十月任。					鍾德輔安徽桐城人，監生。

國朝州同表三

	通州土壩管河州同	涿州州同 北四上汛州同	霸州州同 南頭上汛霸州州同
順治元年	十世昌陝西人，貢生，遷知南樂縣。		
二	周五倫浙江人，監生，遷山東按察司經歷。		
四	劉進禮奉天人，遷長蘆運判，歷知鎮江衡州府。		
十	邵汝賢浙江人，監生，康熙四年遷知泰州。		

十六年前		湯大弼遼陽人，恩貢。 崔起鵬 馬震鼇浙江人，拔貢。 邊嘉興 王之鼐山西人。	
康熙四年	劉之明河南人，貢生，遷廣東布政司理問。		
八	蔣仁榮江南人，貢生，遷知河南陝州。		
十	梅時蕚遼陽人，十六年遷知通州。		
十六	高榮奉天人。		
二十四	陳俊民浙江錢塘人。		
二十七	劉惠宗陝西渭南人，舉人。		

三十一	陳廷柏詳傳。		
三十七	孫潛龍江南青陽人。		
四十三	田昊如湖廣枝江人，監生。		
四十六	馬須琢江南上元人，監生。		
五十七	張逢源遷自通州漷州判。		
雍正元年	任馨浙江山陰人，監生。		
四	曾良贊廣東鎮平人，監生。		
十一	徐德泓浙江烏程人，乙未進士。		

	按：通州高志，泓作洪，今據萬曆沈志、吳興科第表。		
乾隆元年		方嵋 詳傳。	
四	沈書 江蘇吳人，監生，十一年去。		
五		董如漪	
七		孟□	
十一	張毓梁，漢軍鑲黃旗人，監生，後歷州判。		
十三	韓均 遷自通州州判。		
十六	羅鴻遠，漢軍鑲白旗人，監生，遷張灣漕運通判。		
十九	谷起 豐潤人，監生，遷張灣漕運通判。		
二十五	俞洲 浙江海甯人，舉人。		

二十八	戴貽謀江南上元人，監生。		
二十九	高文謨江南武進人，監生，遷正定府糧馬河通判。		張壬任湖北漢陽人，三角淀州同。
三十二	鍾秉忠浙江蕭山人，監生，三十六年遷薊運河通判。		
三十六	李汝琬陝西咸甯人，貢生，遷知武清縣。		
三十八	沈鶴𡷷遷自駐潞州判，四十二年遷天津府三角淀通判。		
四十二	方鶴臯安徽歙人，監生。		
四十七	高思傳浙江山陰人，監生，七月任。		

嘉慶六年			陳起鴻浙江山陰人，監生。
七			鄭澄川安徽鳳臺人。
八			吴懷
十三			祝慶穀河南固始人，監生。
十六			王芸 鄭以簡江蘇如皋人，監生。
十九			汪清瑞
二十			祝慶穀五月復任。
三十二			蔣宗墉三月任，道光二年十二月去。
道光二年			胡侍丹十二月任，遷三角淀通判。

三			王仲蘭江蘇吴人，監生，九月任。
四			康誥九月任，九年去。
九			萬啟遜二月任。
			康誥十二月復任，十四年去。
十四			蔣景暘二月任，十九年去。
十五	沈啟浙江海甯人，監生，九月任。按：啟，永定河志作棨。		
十九			何紹曾三月由南下汎兼署。
二十			蔣景暘三月又任。
二十一			羅瀛九月任，二十五年去。
二十			徐敦義三月任，二十七年去。

五			
二十六	潘烔浙江歸安人，二月任。	沈棨三十年去，餘詳通州州同。	
二十七			司馬鍾十月任，咸豐四年去。
二十八	任元山西汾陽人，九月任。祖旭福建浦城人，十二月任。		
二十九	張紹仲河南密人，閏四月任。		
三十	劉傑雲南會澤人，七月任。	龐光辰六月任。	
咸豐元年		李戴蘇浙江山陰人，監生，三年去。	
二	錢瑮浙江仁和人，正月任。		

三	祖旭六月再任。	包國璟八月任。	
四		原振鈞山東掖人，監生。	龐光辰四月任，六年去。
五	原振鈞，二月調自北四工上汛霸州州同。	嵇蘭生四月任。	
六		施成釗正月任。	唐成棣十二月任，九年去。
七		顧樹榛六月任，十年去。	
九			何承祐九月任，同治七年去。
十		王廣愛五月任，十一年去。	
十一		江壋安徽歙人，舉人，四月任，同治六年去。	
同治元年	陳壽椿浙江會稽人，十二月任。		
二	原振鈞八月再任，光緒三年去。		

六		朱瀛浙江歸安人，監生，三月任。	
七		沈肇祖六月任。	陳安瀾九月由南下汛兼署。
八		江塏二月再任。	陸景濂江蘇元和人，監生，二月任。
九		張熊相廣東安定人，監生，十一月任。	王養壽
十			王仁寶十一月任。
十一		朱瀛。十月復任，光緒四年去	宮兆庚。十月任，光緒二年去
光緒二年			韓傳琦浙江山陰人，監生，十月任。
三	蔣壽頤。江蘇陽湖人，三月任	李傳馨	
	李昌第。山東聊城人，九月任		
四		仲燕祥四月任。	陳楓

五

穎誠。滿洲正白旗人，十月署

李傳馨八月再任。

武進屠寄校

國朝縣丞表四

德清傅雲龍纂　江陰繆荃孫覆輯

大興縣禮賢丞
宛平縣丞　永定河南頭下汛丞　北頭下汛丞
良鄉縣丞　永定河南二汛丞　北二汛丞　趙邨丞
固安縣永定河南四汛丞　北四汛丞
永清縣永定河南五汛丞　北五汛丞
東安縣丞　永定河南七汛丞
香河縣丞
武清縣楊邨丞　永定河南八汛丞　南九汛丞　北頭中汛丞
寶坻縣丞
密雲縣石匣丞
房山縣丞
大城縣丞兼巡檢

	順治元年	三	七
	蔣其家浙江人，吏員，尋廢。		
北頭上汛丞	李茂枝浙江紹興人，吏員，楊邨丞，累遷桂林府同知。	傅大緯浙江諸暨人，吏員，楊邨丞。	
		張問行江南人。	王建

	十	十一	十二年前
			金逢時 浙江山陰人，監生，遷池州府通
			俞正選 浙江人，縣丞，下四人同。
	楊大球 江蘇金壇人，拔貢，楊郵丞，改自通判。		
鼎 山西人。		陰坤生 陝西人。	

	十二	十三
判。		
廖士鑣湖廣人。□□際浙江人。黃衮湖廣人。	趙文傑河南胙城人，拔貢，遷知江南來安縣。	
		邵洪庚浙江

	十五	十七	康熙二年
			張雲孫 縣丞
餘姚人，恩貢，楊邨丞，改自通判，遷兗州府同知。		高星 江西南昌人，廩生，楊邨丞，遷知廣西昭平縣。	
	霍夢松 山西人。		

	五	六年前	六	九
		王爾煜浙江會稽人，遷都司。	范汝瓚浙江石門人，貢生。	李嗣膺山西
，署教授。				
	蕭運泰山西榆次人，貢生，楊邨丞。			陳獻圖安徽

	十一	十二	十四
人。	楊宗雒 陝西岐山人，貢生。		
六安人，吏員，楊邨丞，遷知縣。鄒允敷 江蘇長洲人，監生，楊邨丞。			康汝
		按：密雲志，朱芳瀛應入驛丞表。	

									安江蘇華亭人，監生，楊邨丞。				
十六	胡開先陝西漢陰人。												
十七	婁文明河南通許人，貢生。												
二十二	王宗本山西人，貢生。								何桂山西應人，貢監，楊邨丞。				
二十									黃志				

九	三十四年前
	魏崇古 陝西渭南人，歲貢，縣丞，下八人同。言嘉誠 浙江山陰人，吏員。李貞
元 江蘇江甯人，監生，楊郵丞，二十八年遷知青縣。	

憲 江南人，拔貢。

陳鍾 江南石埭人，貢生，仁且幹，入良鄉志名宦。

王宗本 山西人，保德拔貢。

陳應吉 浙江人，監生。

王授

	三十四	三十九
位遼東人，遷知正定縣。楊名臣湖廣人。	孔衍杰河南鹿邑人，孔子裔。	
		陳世璟陝西甯夏人，監生，楊邨丞。

四十	四十二	四十七
崔國翰 江蘇山陽人，歲貢，楊郵丞，改自教諭。		范錫命 山西介休人，監生，五月任，楊郵丞。
	朱永甯 江南武進人，監生。	

五十二	年未詳	雍正二年
	謝學達 遷自寶坻主簿。	
	王宗本 山西人，拔貢，縣丞，後署香河知縣。	
邱志晟 江蘇山陽人，歲貢，七月任，楊邨丞。		毛鳳翽 湖廣江陵人，歲貢，八月任，楊邨丞。
陳萬策 浙江諸暨人。		

五	六	七	九
佟士龍鑲紅旗人，監生，南頭汛始此。		呂福江南旌德人，供事，由盧溝橋巡檢署南頭汛。	楊振清山東
袁松齡鑲白旗漢軍，監生，南二汛。			
宋模江南新建人，貢生，南四汛。	張大宏固安人，吏員。		王熊采浙江
劉啟江南青陽人，吏員，南五汛始此。			
李泰階江南崑山人，監生，南七汛。			
杜熜陝西禮人，監生，南八汛。			楊恕瑛江蘇

	十一	十二
濟陽人，貢生，南頭汛。		
	勞大受 浙江山陰人，監生，南二汛。	
會稽人，監生，南四汛。		朱明琦 浙江義烏人，監
江都人，楊邮丞，遷楊邮通判。 王元卿 山西懷仁人，南八汛。		朱雲林 山西永甯人，南八汛。

	十三	乾隆元年
	李和永 湖南人，監生，南頭汛。	姚孔鐩 江南
		姜之瑜 浙江
生，南四汛。	郝念祖 陝西武功人，監生，南四汛。	
	張景仲 大興人，監生，南五汛。	
	胡惟正 正黃旗漢軍人，南七汛。	李逸客 調自
汛。 李登瀛 江南桐城人，南九汛，武清丞始此。	王邴 甘肅禮人，南八汛。 方策 江南桐城人，南九汛。	李光昭 浙江

	二
桐城人，監生，南頭汛。	
山陰人，監生，南二汛。	沈承緒 浙江會稽人，監生，南二汛。　楊恕瑛 江南通州人，南二汛。
	勞大受 南四汛，二汛，詳良鄉丞。
	龍廷棟 江南望江人，南五汛。
北九汛，東安主簿。	胡君友 景州人，南七汛，遷楊邨通判。
山陰人，監生，南八汛。　張準□ 安徽歙人，楊邨丞。	

三	四
汪世燦 湖北蘄水人，監生，南頭汛。	
張鎮 山東海豐人，監生，南二汛。	
陳之紀 東安人，監生，南四汛。	
吴汝義 直隸人，監生，南五汛。	
	劉杰 鑲白旗人，監生，南七汛，遷三角淀通判。
	黄守義 浙江餘姚人，監生，南八汛。 趙旃 漢軍正白旗人，四月署楊郇丞。 楊恕瑛 署楊郇丞。

五	六
滿保 鑲白旗人，監生，南二汛。	
于松齡 漢軍鑲藍旗人，二月署楊邨丞。 趙旃 再署楊邨丞。	鄭發 浙江錢塘人，南九汛。 李光昭 南九汛，詳南八汛，武清丞。

七	八	九	十
			吴敬勝浙江
	趙自瑞天津人，監生，南二汛。		池鳳毛晉水
		修禮鑲藍旗人，監生，南四汛。	
韓極交河人，監生，南五汛。			
趙廷臣慶都人，七月任楊邨丞。	鄧維植南九汛，詳北九汛，東安主簿。	朱廷和浙江上虞人，監生，南九汛。	

	十一	十二	十三
山陰人，吏員，南頭汛。			管驊
人，縣丞。			
			馮翽
		管驊駪江南陽湖人，南五汛。	吴敬
	徐大綱漢軍正藍旗人，南七汛。 張景衡贛人，南七汛。		

	十四	十五	十六
駪 南頭汛，詳南五汛，永清丞。		佟國楷 正藍旗人，監生，南頭汛。	
	蔡明任 湖北潛江人，監生，南二汛。	甘士琮 正藍旗人，監生，南二汛。	劉思忠 山東
飛 浙江餘姚人，舉人，南四汛。			黃守義 浙江
勝 南五汛，調自南頭汛，宛平丞。		仇致遠 永清人，南七汛。	

	十七	十九	二十
	衛德炘山西鳳臺人，廩貢，南頭汛。		馮廷俊江蘇華亭人，吏員。
棲霞人，監生，南二汛。	張法曾景州人，監生，南二汛。		顏色燦縣丞。蔣熢
餘姚人，監生，南四汛。	陶兆麟平鄉人，拔貢，南四汛。	朱崇誥山東歷城人，監生，南四汛。	
		陶兆麟南五汛，詳南四汛，固安丞。	
	趙曾裕江蘇常熟人，南八汛。	徐忠弼安徽桐城人，南九汛。	

		，南頭汛。	浙江仁和人，供事，南二汛。									
二十一								高文謨江蘇武進人，南九汛。				
二十三		朱曾敬山東歷城人，監生，南頭汛。				蕭拔南七汛，詳北八汛，武清主簿。						
二十五			蕭拔南二汛，調自	陳龍文江蘇	張壬仕南五	徐傳韓江蘇						

	二十六	二十七
	古滄龍 廣東鎮平人，拔貢。	
	張光曾 江蘇長洲人，監生，南頭汛。	
南七汛，東安丞。		
吳江人，監生，南四汛。		
汛。		
崑山人，監生，南七汛。方典 安徽懷遠人，南七汛。		
		方典 南八汛，調自南七汛，東安丞。湯嗣
		胡金門 浙江仁和人，附監。

	二十八	二十九	三十
		單系姬 山東高密人，副榜，宛平丞。	
	張壬仕 調自南五汛，永清丞。	何啟緒 浙江山陰人，監生，南二汛。	
			金㵢 浙江山陰人，貢生，署南四
	陳琮 四川南部人，副貢，南五汛。		
	沈士濂 浙江慈谿人，南七汛。	白子玉 貴州施秉人，拔貢，南七汛。	金㵢 南七汛，調自南四汛，固安
新 貴州銅仁人，拔貢，南八汛。		楊有淇 江西新淦人，監生，楊村丞。	
		吳貽誠 安徽桐城人，監生。	

	三十二	三十三
		劉世第湖北
		張兆旭江蘇
汛。劉民牧安徽潁上人，吏員，南四汛。		王廷樞江蘇
丞。	曾成勳湖南興甯人，南七汛。王湘若南七汛。	
		陸以通廣東

	三十四	三十五	三十六
公安人，南頭汛。		崔夢熊 山西長子人，拔貢，宛平丞。	楊奕繡 南頭
江都人，南二汛。	池鳳毛 福建晉江人，舉人，良鄉丞。		
丹徒人，監生，南四汛。按：王亦作汪。		吳祖吉 湖北蘄州人，監生。	
	左濤 安徽桐城人，監生，南五汛。		
	陳崙 南七汛，詳北八汛，武清主簿。		
高要人，南九汛。		曾成勳 南八汛，詳南七汛，東安丞。	楊奕繡 江蘇
	陳受書 浙江海寧人，監生。		俞振宗 浙江

三十七	
	汛，調自南九汛，武清丞。
朱伸，江蘇人，監生	，山陽人，監生，南九汛，調南頭汛，宛平丞。劉世第南九汛，詳南頭汛，宛平丞。李再紳湖南，湘潭人，貢生，南九汛。
	，海鹽人，歲貢。

三十八　三十九		
李光璧 西山		
陸燿 浙江仁和人，監生。		
	汪廷樞 南九汛，詳北三汛，涿州吏目。	，武清丞。 章佩瑜 南八汛，詳北八汛，武清主簿。

	四十	四十一
曲沃人，貢生，南頭汛。		
	金聞洽 江蘇太倉人，監生，南二汛。	劉肇基 縣丞。
	汪廷樞 南四汛，調自南九汛，武清丞。	
	王三傑 甘肅甯朔人，副貢，南五汛。 鄭重 浙江餘姚人，吏員，南五汛。	
	張鈞 廣東嘉應人，南九汛。	賈然 山西崞人，署南八汛。 李光

	四十四	四十五	四十六
		王凝才 山西汾陽人，監生，南頭汛。	
		顧森 四川華陽人，監生，南二汛。	張顏 江蘇如皋人，貢生，署南二
			賈然 南四汛，詳南八汛，武清
			馬毓秀 山東東平人，拔
		章佩瑜 南七汛，詳北八汛，武清主簿。	
理 南八汛，詳北八汛，武清主簿。	張顏 江蘇如皋人，貢生，署南八汛。		張鈞 北頭上汛。按：是年分

	四十八	五十
	殷長經山東滕人，副貢，南頭汛。	
汛。	傅友龍貴州貴筑人，舉人。	
丞。		
貢，南五汛。李恆仁河南商水人，監生，署南五汛。吳元吉江蘇如皋人，監生，南五汛。		
		雷春
上、下汛，武清丞由南九汛移此。	顧森南八汛，詳南二汛，良鄉丞。	

	五十一	五十二
		姚昉 安徽桐城人，
天 四川華陽人，監生，南七汛。	宋德鴻 湖北漢川人，拔貢，南七汛。 陳佩蘭 南七汛，詳北三汛，涿州吏目。	

	五十三	五十四
	王凝才 復任，南頭汛。	顧三秀 江蘇如皋人，副貢，南頭汛。
	藍枝美 四川新津人，監生，南二汛。	
	張顏 南四汛，詳南二汛，良鄉丞。	袁璣 浙江諸暨人，監生，南四汛。
監生，署南五汛。宋德鴻 湖北漢川人，拔貢，南五汛。		
	鄒試 南八汛，詳北二汛，良鄉主簿。	

五十五	五十六	五十七	五十八
俞鳳 安徽婺源人，南頭汛。		殷長經 再任南頭汛。	
歐陽立魁 廣東保昌人，拔貢，南二汛。			
	張際泰 江蘇銅山人，監生，南四汛。		
馮瑛 浙江山陰人，監生，南五汛。			田宏猷 江蘇
周永照 江蘇泰州人，附監，南七汛。	況纘緒 江南上元人，吏員，南七汛。		
	雷春天 北頭上汛。		鄒開旦 江西

	五十九	六十	嘉慶
	石秉玉 南頭汛，詳北三汛，涿州吏目。		
	張進忠 山西汾陽人，監生，南二汛。	吳士泓 江蘇上元人，監生，南二汛。	
		田宏猷 南四汛，詳南八汛，武清丞。	
桃源人，監生，南五汛。	馮瑛 再任南五汛。		徐咏
			劉德
廬陵人，監生，署南八汛。鄒試 復任南八汛。		陳伯 南八汛。	

元年	二	三
	施銑南頭汛。 馬同書南頭汛。	楊文峯河南商城人，舉人；署南頭汛。 吳懷南頭汛。
	張進忠再任南二汛。	吳士泓再任南二汛。
虎江蘇宿遷人，監生，南五汛。		
城署南七汛，詳北二汛，良鄉主簿。	裘龍緄署南七汛，詳南七汛，東安丞。	
	周安國南八汛。	汪應鈴南八汛。

四	五	六
	宋大鈺　南頭下汛。按：改下汛官始此。	
		張樂昌　浙江山陰人，監
沈棨　南七汛，詳北五汛，永清主簿。		王葵初　南七汛。
	陳伯　復任南八汛。 方烈　安徽定遠人，北頭上汛。 聶恭　北頭上汛。	王葵初　署北頭上汛。

	七	八
		王德棻　山西靈石人，監生，署南頭下汛。
	彭元英　湖南武陵人，拔貢，署南七汛。	馬同書　南二汛。
生，署南四汛。	張際泰　南四汛。 張樂昌　再署南四汛。	
賈紹封　南七汛。		
	陸之燦　北頭上汛。 李家言　湖南醴陵人，監生，北頭上汛。	

九	十	十一
王鎮南頭下汛。		張士鑑南頭下汛。
		劉垓南四汛。
	吳炳署南五汛。韓紹基山西汾陽人，南五汛。	吳炳復任南五汛。
		李家言由北頭上汛改北頭中汛。屈邦基北頭中汛。

十二	十三
孔昭誠 北頭下汛。按：宛平主簿改縣丞始此。 沈惇厚 浙江歸安人，監生。	
賈紹封 北二汛。按：良鄉主簿改縣丞始此。	喬巨英 山西太谷人，監生，署南二汛。
沈鋭 浙江歸安人，監生，署北四汛。按：固安主簿改縣丞始此。	曹煦 山西介休人，附貢，署南四汛。
何貞 南五汛。 支甯祥 江蘇山陽人，監生，署北五汛。按：永清主簿改縣丞始此。	宗齊連 河南商邱人，監生，北五汛。
按：南七汛東安丞，是年改主簿。	
曹煦 山西介休人，附貢，署北頭上汛。按：主簿改縣丞始此。	來惟寬 浙江蕭山人，五月署楊邨丞。

	十四
	李廷珍 山東歷城人，南頭下汛。
王鼎言 江蘇上元人，監生，任北二汛。	曹煦 南二汛。
劉國儀 河南虞城人，監生，北四汛。	馬錞 南四汛，詳北二汛，涿州吏目。
沈旺生 署北五汛。	金國瑞 南五汛。
支甯祥 北頭上汛。 張霖 漢軍鑲紅旗人，五月署楊郕丞。 勞大受 大興人，十二月署楊郕丞。	沈銳 五月任北頭中汛，餘詳薊州傳。

	十五
陳鎮標陝西韓城人，北頭下汛。	葉德豫江蘇上元人，監生，南頭下汛。沈鋭北頭下汛。
	黄桂林江蘇碭山人，監生，南二汛。喬巨英由南
韓紹基山西汾陽人，南四汛。喬巨英北四汛，詳南二汛，良鄉丞。	洪如羲貴州玉屏人，廩貢，署南四汛。周肆信山東
	龔慶全江蘇長洲人，監生，署北五汛。張諟江蘇無錫人，
陳鎮標北頭中汛。	熊烱署北頭上汛。葉德豫署北頭上汛。毛廷

	十六
陳鎮標 復任北頭下汛。	葉德豫 由南頭下汛調北頭下汛。 陳鎮標 由北頭下汛調南頭下汛。
二汛調北二汛。 馬錞 署北二汛。 莊寶瑛 北二汛。	
金鄉人，監生，署北四汛。 康誥 江蘇清河人，北四汛。	支甯祥 南四汛，詳北五汛，永清丞。 康誥 由北四汛任南四汛。 馮季
監生，南五汛 胡侍丹 江蘇武進人，監生，北五汛。	
棟 署北頭上汛。	李國屏 北頭上汛。 支甯祥 北頭中汛，詳前。

	十七	十九
	洪如義 南頭下汛，詳南四汛。	唐淳 江蘇江都人，監生，署北頭下汛。
	王芸 南二汛。	馬錞 南二汛。
曾 北四汛。	蔣宗墉 南四汛。	陳禾 南四汛。 錢栻 江蘇沭陽人，監生，北四汛。
		張藻 江蘇睢甯人，監生，署南五汛。 金國瑞 北五汛。 唐淳 江蘇江都人，北五
		王芸 北頭上汛。

	二十	二十一
	包駿 江蘇江甯人，監生，四月任，署北頭下汛。	王庚 江蘇吳人，監生，四月任，北頭下汛。 黃瀚 安徽桐城人，十二月任，南頭下汛。
	陳鎮標 四月任北二汛，	
	喬巨英 北四汛。	
汛。		
	錢栻 江蘇沭陽人，監生，四月任，北頭上汛。	沈銳 四月任，北頭中汛。
	沈球 十一月署。	

二十二	二十三	二十四
	莊寶瑛 江蘇武進人，十二月任，北頭下汛。	王庚 十月任，南頭
包駿 三月任，南二汛。	馬錞 二月任，南二汛。 唐淳 三月任，北二汛。	張欽祖 十月
楊泰階 浙江山陰人，三月任，南四汛。	史渭綸 江蘇溧陽人，監生，二月任，北四汛。	黃瀚 安徽桐城人，
	袁修敬 江蘇華亭人，三月任，北五汛。 沈渭 浙江仁和人，監生，十二月任，南五汛。	汪兆鵬 正月
陳禾 三月任，北頭中汛。		袁修敬 正月

	二十五
下汛，詳上。	
任，北二汛。	黃瀚，三月任，北二汛。
十月任，南四汛。袁修敬，十月任，北四汛。	孟釗，山東歷城人，三月任，南四汛。
任，北五汛。	包駿，江蘇上元人，九月任，南五汛。按：永清李志，駿謌騤，並贅江字。楊泰階，江蘇
任，北頭中汛。陳佩蘭，八月任，北頭上汛。	史渭綸，北頭中汛，詳固安。北四汛。

	道光元年	二
		唐淳 五月復任，北二汛。
	康誥 二月再任，南四汛。 劉一峯 河南滑人，舉人，二月任，北四汛。	蔣景暘 江蘇元和人，正月任，北四汛。 張耀
人，北五汛。	張耀 五月任，南五汛。 孫良坤 浙江山陰人，十二月任，北五汛。	楊泰階 四月再任，北五汛。 康誥

	三	四
	汪兆鵬 九月任，北頭下汛。	
	蔣景暘 九月任，北二汛。	張夢麟 九月任，北二汛。
箕 安徽桐城人，九月任，南四汛，後知固安縣。	張夢麟 江蘇銅山人，監生，九月任，北四汛。	程裕臣 江蘇睢陽人，九月
九月任，南五汛，詳固安北四汛。	蒯夢霆 浙江仁和人，北五汛。按：永清李志，蒯譌劉。	熊開楚 江蘇高郵人，監生
	張書紳 二月任北頭上汛。	唐淳 九月任北頭中汛。
	張壽恭 十一月署。	

	五	六
按：五年改北二上汛。		
任，南四汛。	鄭啟新 山西文水人，九月任，南四汛。	張耀箕 四月再任，南四汛。
，五月任，北五汛。 王仲蘭 江蘇吳人，九月任，南五汛。		陳禾 二月任，南五汛。按：永清李志，禾
		鄭啟新 十二月任，北頭中汛。
	宋道熥 十月署。	

	七	八
		狄鳴鑾 江蘇溧陽人，廩生，俸滿遷知三
	鄭啟新 三月任，北二上汛。	
	李瑩光 山東歷城人，正月任，北四汛。　程際亨 浙江嘉善人，十一月任，南四汛。	張耀箕 六月復任，南四汛。
下衍宿字。		
	徐敦義 三月任，北頭上汛。　張夢麟 三月任，北頭中汛。	
	成芳 江蘇清河人，監生。	

	九	十	十一
河縣。	陳嘉謨三月任，北頭下汛。		
			陳禾二月任，南二汛。
			熊開楚二月
		張書紳四月任，北頭中汛，詳固安南四汛丞。	沈文元四月
		宋曾文河南武陟人，後歷建昌、南宮等丞，同任，咸豐四年署知懷柔縣。	
		馮文煥六月任。	

	十二	十三	十四
			丁惠
			張書
			錢寶
		費淦 江蘇人，二月任，南四汛。	鄒廷
任，南五汛，詳上。程裕臣 二月任，北五汛。	馬晉錫 閏九月任，北五汛。		
任，北頭上汛。徐敦義 四月由北頭上汛調北頭中汛。		張耀箕 十月任，北頭上汛。	陳嘉

	十五
泉 河南閿鄉人。	
紳 正月任，北頭下汛。	任元 山西汾陽人，二月任，南頭下汛。 何紹曾 廣東番禺人，監生，六月任，南頭下汛。 羅瀛 江蘇宿遷人，
珊 四月任，北二上汛。	鄭啟新 山西文水人，縣丞，代理香河知縣。 王鳳喈 山東長清人，監生，四月任，北二上汛。
燮 江蘇金匱人，正月任，南四汛。	喬巨英 四月由南三汛涿州判兼署南四汛。 張書紳 江蘇武進人，八月任，南四汛。
	錢寶珊 江蘇長洲人，四月任，南五汛。
謨 八月任，北中汛。	鄒廷燮 四月任，北頭上汛。

	十六	十七
八月任，北頭下汛。		
	李敦壽（正月任，北二上汛。）	胡履震（縣丞。） 汪英
	程裕臣（六月任，南四汛，詳北四汛。）	
	程志達（江西南城人，正月任，南五汛。按：永清李志，達作遠，今據永定河續志。）	
	吳培豐（河南光州人，舉人，二月任，北頭中汛。） 張書紳（六月復任，北頭中汛。）	
		葉之泰（浙江仁和人，監生，）

	十八	十九
		王士
	程裕臣閏四月任，北頭下汛。	
厚江蘇碭山人，三月任，北二上汛。		馬霦
	費建德奉天開源人，閏四月任，南四汛。 王仲蘭七月由北三汛涿州吏目兼署北四汛。	馬光
		汪英
，六月任二十一年六月去。		

	二十
珍 湖北鄖西人，貢生。 唐繼賢 山東昌樂人，吏員。 成芳 江蘇清河人，監生。	
	費懋德 三月任，南頭下汛。
十二月任，北二上汛。	汪英厚 六月同任，北二上汛。
型 四川灌人，舉人，四月任，北四汛。	羅瀛 二月由南三汛涿州判兼署南四汛。 支履
	黃守堅 浙江平湖人，三月任，南五汛。 嚴士
厚 十二月任，北頭中汛。	王謨 江蘇丹徒人，六月任，北頭上汛。 馬霦 六月任，北頭

	二十一
	賈榮春 江蘇上元人，吏員。
	李敦壽 六月任，北頭下汛。
	程志達 六月同任，北二上汛。
和 江蘇青浦人，五月任，北四汛。	王恒謙 山東福山人，六月任，北四汛。 支履和 八月由北四汛調南四汛。
鈞 浙江歸安人，五月任，北五汛。	蔣疇壽 江蘇元和人，南五汛。據永清李志補。 羅廷莊 廣西馬平人，五月
中汛。 司馬鍾 江蘇江甯人，十二月任，北頭上汛。	
	黎直 廣東東莞人，六月任，二十四年八月去。
	章溥 九月任。

	二十二	二十三年前	二十三
			周冕奉天甯遠人，監生。鄒覲廷湖北漢陽人，監
	嵇蘭生十二月任，北頭下汛。		
	李敦壽十二月復任，北二上汛。	何逢吉浙江人，縣丞。	趙永盛縣丞。
	唐潤江蘇江都人，三月任，南四汛。		姚煦浙江會稽人，十二月任，南四汛。汪桂浙江桐鄉人，
任，北五汛。	鄧蘭芬山東新城人，四月任，北五汛。		
	王仲蘭十二月任，北頭中汛。		
	陳三壽浙江山陰人。		

	二十四	二十五
生，署。	周冕 回任。	
	朱錫慶 十二月任，南頭下汛。	趙永盛 縣丞。程裕臣 四月任，南頭下汛。
	黃筠先 縣丞。程裕臣 六月任，北二上汛。	姚煦 北二上汛。汪桂 五月任，南二汛。
十二月任，北四汛。	吳燾 安徽歙人，十二月任，南四汛。	支履和 四月復任，北四汛。
		錢寶珊 二月任，北五汛，詳上。徐本培 江西
		韓兆霖 浙江蕭山人，十一月任，北頭上汛。
	龔衍淮 浙江會稽人，八月任，二十九年二月去。	

	二十六
	王式金　安徽青陽人，供事。
馬霦　五月任，北頭下汛。何逢吉　福建光澤人，監生，十二月任，南頭下汛。	余錫恩　署縣丞。胡彬　江蘇元和人，四月任，北頭下汛。
	程裕臣　閏五月任，北四下汛。按：改下汛始此。
德興人，北五汛。（據永清李志）	龐光辰　江蘇上元人，閏五月任，南五汛。支履
	唐成棣　江蘇江都人，九月任，北頭中汛。
	席伊炳　河南澠池人，監生，八月調自張家口丞，後遷固安知縣。
	沈士樾　五月署。

	二十七	二十
	潘霆 浙江仁和人，監生。	陳烈
朱錫慶 閏五月再任，南頭下汛。	徐沛然 縣丞。錢萬青 十一月任，北頭下汛。	程志
	白維 山西太谷人，供事，縣丞兼署良鄉、東安知縣。包國璟 江蘇丹徒人，十二月任，南二汛。	
和 閏五月任，北五汛。	黃守堅 北五汛。支履和 十月由北五汛調南五汛。	
	朱秉璋 正月任，北頭上汛。韓兆霖 正月同任，北頭中汛。	葛震
	鍾沅 二月任。	

八	二十九	三十
浙江會稽人。	宮家鳳 安徽懷遠人，監生。 何輝紳 山西靈石人。 宮家鳳 回任。	
達 正月任，南頭下汛。	汪度 山東歷城人，四月任，南頭下汛。	王式金 署縣
	馬霦 正月任，北二上汛。 汪桂 正月復任，南二汛。	錢萬青 六月
	陳鳳藻 浙江錢塘人，南五汛。	
二月任，北頭中汛。		
	席伊炳 河南澠池人，監生。	賈榮春 江蘇
	劉之采 山東昌邑人，廩生，二月署，咸豐四年去。按：之或作知，今據王志。	

咸豐元年	
杜清源 山西靈石人，監	
李宗漣 縣丞。	丞，詳大興丞。陳贊清 山東濟甯人，正月任，南汛下頭，調自涿州判。包國璟 六月任，北汛下頭。
	任，北汛上二。
費懋德 四月復任，南四	
支履和 復任，南五汛。	
	上元人，吏員。

	二	三
生。宮家鳳，同任。	鄧錫恩，四川崇慶人，監生。	
		潘濟
	支履和，十月任，北二上汛。錢萬青，十月由北二上汛調南二汛。	葛震
汛。	姜由軾，江蘇六合人，正月任，北下四汛。譚歲本，江西南豐人，八月任，北下四汛。	姜由
	陳鳳藻，十月復任，南五汛。	
		朱錫
		張邦
		劉瀚

	四
	王甥穧江蘇江陰人。
署縣丞。錢寶珊八月任，北頭下汛。	羅才雯縣丞。包國璟四月回任，北頭下汛。
九月任，北二上汛。支履和九月由北二上汛調南二汛。	
軾正月由北四下汛調南四汛。	烏應昌山東博平人，七月任，北四下汛。
	陸慎言江蘇元和人，正月任，南五汛。陳鳳藻五月復任，南五汛。
慶九月任，北頭中汛。	
	宮家鳳安徽懷遠人。王樊安徽定遠人。
瑞浙江會稽人，四月任，十八年十二月去。	
文三月署。	

五年 前	五
	魯鏞 浙江山陰人，吏員。
	普慶 正月任，南頭下汛。
李熙載 山東人，縣丞。	劉傑 雲南會澤人，監生，縣丞。 歐陽煒 江西安福人，禮部儒士，縣丞。 姜由軾 十一月任，南二汛。
	陸錫會 浙江桐鄉人，十一月任，南四汛。
	汪玉藻 浙江秀水人，正月任，北五汛。 施成釗 四月任，南五汛。 普慶 滿洲旗人，貢生，十月任，南五汛。
	陳鏡清 山東濟甯人，監生，署楊邨丞，七年署東安主簿，後補固安知縣。 程志達 三月任，北頭中汛。 吳履
	章景樊 浙江山陰人，吏員。

	六
	蕭端成 調自齊家莊巡檢。
	徐綖 江蘇吳人，十月任，南頭下汛。 麗明遠 江蘇上元人，十二月任，北頭下汛。
	汪玉藻 二月任，南二汛。 王希鵬 江蘇吳人，八月任，北二上汛。
	程志達 河南商城人，三月任，北四下汛。 何同福 江蘇上元人，七月任，北四下汛。 程映璣 山東
	烏應昌 山東博平人，二月任，北五汛。 嚴長生 江蘇吳人，七月任，北五汛。
中 九月任，北頭上汛。	孫鴻基 江蘇金匱人，楊邨丞。 陳鏡清 山東濟甯人，二月任，北頭中汛。

	七
	胡彬八月任，南頭下汛調北頭下汛。
	葛震十一月復任，北二上汛。
利津人，八月任，南四汛。	任文斗山東聊城人，己酉拔貢，五月任，北四下汛。
	方有慶浙江石門人，三月任，南五汛。　普慶復任，北五汛。　吳履中江蘇吳人，十月任，北五汛。
	王履豐浙江諸暨人，二月任，北頭中汛。　徐本培十月任，北頭上汛。
	沈秉炤八月署。

八

龔儉 浙江仁和人，監生，署。

李廷祉 山西洪洞人，監生，縣丞，同治五年署石匣丞。

朱錫慶 江蘇吳人，二月任，南四汛。

秦振聲 江蘇江甯人，三月任，北四下汛。

李廷鑑 浙江會稽人，八月任，北四下汛。

陳鏡

岳奎齡 湖北江夏人，吏員，二月任，南五汛。

何勒石 山西汾陽人，增生，十二月任，同治十年五月去。

王佐均 六月署。

	九
	王汝衡署縣丞，浙江山陰人。　王德榮浙江錢塘人，二月任，北下頭汛。
清補南四汛，後遷知縣，詳武清丞。	鄭衍恆二月任，北四下汛。　施成釗九月任，南四汛。　章樹春浙江會稽人，十一
	朱錫慶北五汛，詳南四汛。

	十	十一
	張子誥 山西孝義人，附生。	查光泰 浙江
	劉秉琳 署縣丞。 馮懷膏 縣丞。	
月任，北四下汛。	楊因培 補固安丞，尋捐離任，詳香河知縣表。按：此未詳何丞。	顧樹棒 六月
	顧樹棒 江南江甯人，五月任，北五汛。 李如璧 江蘇丹徒人，監生，十一月任，北五汛。	
	馬光泰 江蘇常熟人，監生，正月任，北頭上汛。 高彤紱 山東利津人，十月任，北頭上汛。	何兆清 江蘇
	潘濟 安徽婺源人，供事。	
	孫德佑 浙江山陰人，供事，三月任，遷武清丞，署懷柔知縣。	

同治元年	
徐述溶 江蘇	海甯人，監生。
曹文懿 正月	
胡彬 南四汛。	章樹春 十一月，再任北四下汛。 陳鏡清 十月任，南四汛，遷自東安主簿，河工出力，遷知固安縣。 任，北四下汛。
石永壽 廣東	
	江甯人，四月任，北頭中汛。
洪恩福 署，	

	二
，嘉定人，監生。袁駿浙江鄞人，監生。	
任，北頭下汛。汪國楨十一月任，南頭下汛。	
，番禺人，五月任，北五汛。李傳馨浙江仁和人，十一月任，北五汛。	
	敖思猷江西萍鄉人，楊邨丞。張慶金湖北東湖人，監
	湯濱浙江蕭山人。
詳固安典史。	

	三
	郭彥賓署縣丞。冷清阿十二月任，北頭下汛。
	章國祥浙江會稽人，供事，縣丞。馬光泰四月任，南二汛。
	李傳馨四月任，南四汛。陳安瀾浙江山陰人，十二月任，北四下汛。
	胡彬江蘇元和人，四月由南四汛任，北五汛。李傳馨十二月由南四汛回
生，正月任，北頭中汛。馬光泰五月任，北頭中汛，詳前。	汪玉藻四月任，北頭中汛。張慶奎十二月回任，北頭五汛。

	四	五
	山麟祥，山東黃人，附生。方國輔，安徽桐城人，供事。	
	王蓮社，縣丞。王樹穀，六月任，南頭下汛。	丁福培，山東濰人，七月任
		翁步洲，浙江蕭山人，監
	胡彬復任，南四汛。	徐文林，山東泰安人，三月
任，北五汛。		
	于漢清，山東臨淄人，四月任，北頭中汛。朱錫瑕，江蘇吳人，監生，十一月任，北頭中汛。	袁輔廷，浙江山陰人，楊邨
		李廷祉，由良鄉丞署。
		王恩溥，浙江會稽人，十月

	六
	山麟祥同任。毛桂榮署，詳文安典史。
，北頭下汛。	
生，縣丞。李延祉十一月由署石匣丞同任，縣丞。于漢清正月任，南二汛。	王汝衡縣丞，詳宛平丞。蔡壽臻浙江桐鄉人，監
任，北四下汛。	江塏三月任，北四下汛。
丞。劉性樸正月任，北頭上汛。高彤紱九月復任，北頭上汛。	
何勒石詳房山丞，七月調。	
署，六年三月去。	楊淇浙江餘姚人，四月署，尋去。趙夢卜山東

	七
	方國輔再任。李重華安徽人，石埭供事。方國輔又任。山麟祥又任。
	陳安瀾三月任，南頭下汛。
生，正月任，北二上汛。	陳楓三月任，北二上汛。
	朱瀛六月任，南四汛。岳翰湖北江夏人，六月任，北四下汛。
	李廷鑑浙江會稽人，楊郕丞。朱同保浙江歸安人，五月任，北頭上汛。
東平人，四月任，八年三月去。	

八
蔣頤山　浙江錢塘人，監生。
沈肇祖　三月任，南頭下汛。　葉緒昌　浙江會稽人，七月任，北頭下汛。
李成章　山東歷城人，供事，監生。
李傳馨　二月復任，南四汛。　諸畬　江蘇常熟人，九月任，北四下汛。
徐銓　江蘇吳人，三月任，南五汛。　支兆熊　江蘇青浦人，二月任，北五汛。　汪仰山　山東歷城人，監生，十月任，北五汛。
孫德佑　三月由大城丞調楊郵丞。　江塏　十二月任，北上汛。　白上賢　十一月任，北頭中汛。
王朝紀　四川達人，三月署，八月去。　趙夢卜　八月回任，十二月去。　俞成德　浙江山陰人，十二月署，九年六月去。　湯釗　四川巴人，六
潘枚　三月署。

	九
	朱錫嘏十二月任，北頭下汛。
	謝塏浙江山陰人，監生，縣丞。何其翔山東歷城人，監生，縣丞，後遷知三河縣。項壽堃江蘇陽湖人，九月任，北二上汛
	蔡鴻慶浙江桐鄉人，監生，六月任，南五汛。汪仰山十二月任，南五汛。茅光耀浙江山陰人，十二
	馬啟桐五月任，北頭中汛。
月任，光緒三年十月去。	
	凌燮閏十月任。

十一	十	
	段繡 山西絳人，貢生。	
唐照	何兆清 八月任，南下汎頭。 沈肇祖 八月任，北上二汎。	
潘秋	陸景濂 六月任，南二汎。	。蕭承湛 河南祥符人，十一月任，南二汎。
王仁		
茅光		月任，北五汎。
張映	陳壽椿 浙江會稽人，二月任，北上汎頭。 潘秋水 九月任，北中汎頭。	
何勒		
張慶		

	十二
江蘇江都人，監生，五月任，北頭下汛。張承福浙江山陰人，五月任，南頭下汛。岳瀚八月任，北頭下汛。	孫釗浙江山陰人，二月任，北頭
水十一月任，南二汛。	何兆清三月任，北二上
寶十月任，南四汛。	凌燮七月任，南四汛。
耀二月由北五汛調南五汛。支兆熊二月復任，北五汛。凌燮安徽定遠人，監生，十一月任，北五汛。	諸畬浙江諸暨人，七月任，北五
辰山西長子人，附貢，三月任，北頭上汛。陳詠桂十一月任，北頭中汛。	
石詳上，再任。蔣頤山浙江錢塘人。湯濱復任。	
	余昌壽正月任。
奎七月署。	

下汛。 葉昌緒 五月任，南汛下頭。 馮壽松 浙江歸安人，八月任，北汛下頭。遷固安縣知縣。 何兆清 九月任，南汛下頭。
汛。 張紹良 江蘇丹徒人，九月任，北汛上二。
何翼堂 貴州人，七月任，北四下汛。
汛。

十三	光緒元年
吳宗騏 奉天錦人，正月任，北頭下汛。童湛 十月任，北頭下汛。張映辰 十月任，南頭下汛。	
胡維賢 九月任，北二上汛。	汪仰山 五月任，南二汛。
李翊治 河南固始人，舉人，二月任，南四汛。諸畬 三月再任，北四下汛。	陳鳴岐 山東濟甯人，七月任，北四下
凌燮 二月由南四汛回任北五汛。	
孫國培 浙江歸安人，附貢，十月任，北頭上汛。	

	二	三
	高正邦，安徽貴池人，供事。	李振樞，雲南太和人，監生。 夏震，河南陽武人，
	李廷桂，浙江會稽人，監生，縣丞。 諸畬，南二汛。	周蓉第，南二汛。 鄭官賢，北二上汛。
汛。	張承縉，江蘇儀徵人，八月任，北四下汛。 張映辰，南四汛。	陳澤醴，山西渾源人，三月任，北四下汛。 胡寶
		汪仰山，三月任，北五汛。 孫國培，八月任，南五汛。
	李占春，雲南宜良人，舉人，十月任，北頭上汛。	鄒源，二月任，北頭上汛。 薩多訥，福建侯官人，監
		馮可珍，浙江慈谿人，十月署，四年五月去。

	四	五
監生。張篤慶 甘肅皋蘭人，監生。		王恩爵 安徽桐城人，監生。張克
		王貽直 安徽黟人，附貢，八月任，北頭下汎。
	程鴻賓 安徽懷甯人，七月任，北二上汎。	鄭官賢 八月回任，北二上汎。
森 浙江山陰人，十一月任，北四下汎。	孫國培 十一月任，南四汎。	張映辰 十月再任，南四汎。
馬清漪 山東夏津人，北五汎。	陳安瀾 四月任，南五汎。	
生，七月任，北頭中汎。		韓傳琦 八月任，北頭中汎。
	崔灼 山西忻人，附貢，五月任。	
		竇垣 十二月署。

	六	七
英浙江鄞人，監生。		
孫國培十一月任，南頭下汛。	傅秉钧署縣丞。	
		歸瀛江蘇常熟人，
	朱楨四川華陽人，監生，四月任，北五汛。馬清漪九月復任，北五汛。	
	王仁寶三月任，北頭上汛。張士馨山西汾陽人，監生，二月任，北頭中汛。	
	趙興藻四月署。	

監生，縣丞。

樊耀先 浙江會稽人，監生，縣丞。

馮可珍 縣丞。

劉兆璋 湖北應城人，廩生，縣丞。

九

莊佩蘭浙江秀水人，監生，縣丞。

華陽吳祖椿校

官師志十三

光緒順天府志八十四

德清傅雲龍纂　江陰繆荃孫覆輯

國朝州判表五

	通州州判 漷州判（廢）	昌平州判（廢）	涿州糧捕水利州判 永定河南三汛涿州州判 北三汛涿州州判	霸州州判 後歸河工 淀汛河霸州州判 永定河北六汛霸州州判	薊州州判（廢）
順治元年	章三益	陸萬鍾，陝西人，貢生。			
三		宋本義，浙江人，貢生。			

五	年未詳	九	十一
	李逢元 陳策 馬首魁 何獻祥 焦象賢 葛應旗。陝西人已上並州判。		
王懋新，奉天人貢生。			張世英，湖廣人恩貢生。
	章匡時，浙江人州判，著績。 蔡學頤州判。	傅一驥，浙江人州判。 王有仁，鑲紅旗人，州判，遷知青浦縣。	

十四				王國棟，鑲黃旗人，州判，遷知山西大甯縣。	
十五		田雨公，四川人，貢生。			
康熙元年				周殿俊，陝西人，州判。	
四		徐鼎，江西人，貢生。			
五	王璽，陝西鳳翔人，州判。				
六		陳鴻勳，浙江人，監生。			
七				高榮，鑲黃旗人，州判。	
九	周汝斌，浙江山陰人，				

	州判，遷無爲州同。				
十二		儀其健，山西人，供事。			
十五		程式伊，江南人，供事。			
十九		衷崇介，江西人，例監。			
二十	胡兆騄，浙江山陰人，州判。			衛既濟，州判，詳府尹傳。	
二十二	彭麟，山東金鄉人，州判。			石□，州判，隨知州汪惟琦修學宮。	
二十六	陸謙，江蘇吴人，州判。				
三十二	蘇應標，江南石棣人，州判。				

三十五	李桂芳江南常州人，州判，轄石壩漕務，卹運役，裁陋規。				
	陳賡雲河南孟津人，監生，三十四年設州判駐漷，厥官始此。				
三十七	汪時敏湖廣黃梅人，監生，州判，遷代州州同。				
四十八	徐宏炌浙江會稽人，監生，漷州判。				
五十二	黃起祥正紅旗漢軍，監生，漷州判。				
五十五	張逢源浙江山陰人，漷州判，五十七年遷州同。				

五十七	汪儀江西宜黃人，監生，漷州判。				
六十一	李祖鋐廣東程鄉人，監生，漷州判。				
雍正元年	巫樫孫州判，詳傳。				
五			李壇山東壽光人，監生，南三汛。		
六	姚鋐江南桐城人，監生，州判。				
七			吴炯浙江錢塘人，州判，絶賄賫。		
九	范坊，浙江鄞人，監生，州判。				
十	洪公安江南歙人，監				

	生，州判。				
十一	馬吉安雲南宜良人，監生，州判，遷張灣漕運通判。		洪時行江南歙人，監生，南三汛。		
十三			黃必成浙江會稽縣人，監生，南三汛。		
乾隆二年	張學守江南如皋人，監生，漷州判。				
三	李揆俟江南廬江人，監生，州判。		勞大受任南三汛，調自南四汛，固安縣丞。	胡維正淀汛，十一年去。	
四			黃必成再任，南三汛。		
五	王述獻江南太倉人，監生，漷州判，遷知清河縣。				

八	程明沅湖北孝感人，監生，漷州判。		胡玠山東濟甯人，舉人，南三汛。		
九	唐倚衡江南江都人，漷州判，十一年遷知交河縣，十四年遷知通州。				
十一	韓均浙江蕭山人，監生，州判，十三年遷通州州同。 葛光祖浙江餘杭人，監生，漷州判。		王南珍福建漳浦人，監生，南三汛。	張柏山淀汛。	
十三			黃必成三任，南三汛。		
十四			顧之岑江蘇如皋人，監生，南三汛。		

十五			張景衡，大興人，監生，南三汛。		
十六	黃維藩，大興人，監生，州判。			吴敬勝，淀汛，遷自宛平丞。	
十七	趙廷臣，望都人，監生，州判。		馮仲舒，山東濮州人，監生，南三汛。		
十九	静均，由州同任漷州州判，詳傳。		陳鐸，東安人，監生，南三汛。		
二十一	張毓梁，州判，調滄州州判，餘詳通州州同。		陳志緯，浙江海鹽人，貢生，糧捕水利。		
二十二				趙曾裕，淀汛，調南八汛，武清縣丞。	
二十三			徐傳韓，江蘇崑山人，監生，南三汛。	馮廷俊，江蘇華亭人，淀汛。	

二十五			方闓安徽天長人，貢生，南三汛。		王治岐甘肅固原州人，拔貢。
二十六			朱曾敬調自南頭汛，宛平縣丞，南三汛。	朱崇誥州判，隨知州狄詠篪修學宮。	
二十七				黃維藩淀汛，詳北八汛，武清主簿。 陶兆麟平鄉人，淀汛。	
二十八				單奇齡淀汛，調自北八汛，武清主簿。 方典淀汛，詳南七汛，東安縣丞。	
二十九			白子玉貴州施秉人，拔貢，南三汛。		

三十年前
線應選，奉天人，恩貢，州判，下十四人同。 蕭執中 王宅中 梁應斗 梁參乾。陝西人 張調鼎。陝西人 馬星。浙江餘姚人。 尤應運，福建人，拔貢。 梁天錫。陝西人 張世傑。河南人 董家駒。福建人 錢啟浩。浙江人

			馬須琢江南人。		
			季朗山東人。 王湘浙江人。		
三十二			許學講山西曲沃人，舉人，二月署州判。 陳元恕廣東永安人，廩生，二月任，州判。		
三十三	高目偉甯晉人，監生，州判。 吴標貴州清鎮人，舉人，漷州判，改教職。				
三十四			王湘若江蘇陽湖人，供事，南三汛。	陳熙志湖南武陵人，拔貢，淀汛。	

				周嘉賓江蘇丹徒人，十月署，州判。	沈鴻亮四川新津人，進士，霸州州判
三十五				張光墀湖南湘鄉人，副貢，二月任，州判。	雷聲遠陝西朝邑人，淀汛。
三十六	周學洢浙江永嘉人，監生，灤州州判，調通州州判，後遷知順義縣。 沈鴻⿰山京浙江烏程人，監生，三十八年署州同。				
三十七				蔣烇南三汛，詳南二汛，良鄉縣丞。	曾成勳淀汛，詳南七汛，東安縣丞。
三十八	李炳甘肅皋蘭人，拔貢，灤州判，四十年丁憂去，四十				

	三年補州判。				
三十九			周嘉賓三月再署州判。 李陟庭湖北監利人，舉人，六月任，州判。		
四十	汪連江蘇吳人，監生，州判，四十三年遷知臨榆縣。 蔣縹湖南益陽人，拔貢，灤州判。		張習山西汾陽人，監生，南三汛。 范安仁四川成都人，拔貢，閏十月任，州判。		
四十一	龍文鑣江西吉水人，吏員，州判。				
四十二			張元表安徽桐城人，副貢，二月任，州判。		

四十三		四十五
李炳州判，詳前。		
孫孝則山西興人，貢生，南三汛。 蕭開秀貴州都匀人，副貢，七月任，州判。 章佩瑜安徽貴池人，監生，南三汛。		李光璧南三汛，詳南頭汛，宛平縣丞。 袁璣九月任，州判。 葉震九江蘇宿遷人，十月署州判。 唐宗鎔興甯人，拔貢，十一月任州判。
		姚芳安徽桐城人，監生，淀汛。 金聞洽江蘇太倉人，監生，淀汛。

四十六			汪廷樞，南三汛，詳北六汛，霸州吏目。		
四十八	唐汝風，廣東高要人，舉人，六月任，州判。		余昌祖，湖南臨湘人，舉人，南三汛。		
五十			馬毓秀，南三汛，詳南五汛，永清縣丞。		
五十三			任其涵，四月任，州判。 黄楷，安徽桐城人，四月任，州判。 李芳華，陝西寶鷄人，拔貢，七月任，州判。		
五十五			陶嗣曾，江西南城人，		

			九月任，州判。		
五十六年前					王治岐遷知三河縣。王瀾，遷知□縣五十七年知薊州。蔣業熙江蘇長洲人，遷祁州州同，官至河間府通判。歸恩燕遷正定府通判，歷東路同知。陳馨洲浙江臨海人，舉人。
五十七					劉四順河南虞城人，監生。
五十八			李元林四川成都人，供事，任州判。	李培林淀汛，詳北四汛，固安主簿。	

五十九				宋大鈺山西介休人，監生，署淀汛。	
六十			顧翼江蘇元和人，九月任，州判。陶嗣曾十一月回任州判。黃釗南三汛，詳下頭工，宛平主簿。	李培林復任淀汛。	
嘉慶元年			顧翼，七月再任州判。姚林桂山東鉅野人，九月任，州判。		顧翼自涿州判調。
二			吳世泓江蘇元和人，監生，二月任，州判。陸逢瑞江蘇陽湖人，		楊正林貴州桐梓人，舉人。

			舉人，閏六月任，州判。		
三			李元林再任南三汛。	裘緄龍淀汛，詳七汛，東安縣丞。 趙倫浙江錢塘人，副貢，淀汛。	
四			陳惠鳴四月由吏目署州判。 孫式典山西太原人，副貢，七月任，州判。		
五				王錫景江蘇青浦人，監生，署淀汛。	葉維高廣東嘉應人，監生。 吴廷貴浙江山陰人，供事。
六				趙倫。再任淀汛	陳莊履山東滋陽人，

					吏員。
七				張調元淀汛。	
八			彭元英，南三汛。詳南三汛，良鄉縣丞。		
九			周泰之廣東南海人，監生，署南三汛。 張聰賚安徽桐城人，副貢，四月任，州判。		
十			馮績熙，南三汛。調自淀汛。 李祖垚山西翼城人，廩貢，三月任，州判。 田裕九山西孝義人，	馮績熙浙江桐鄉人，附監，淀汛，旋調南三汛。 馮人驥浙江平湖人，監生，淀汛。	

				恩貢，十月任，州判。何維綺，新城人，貢生，十二月任，州判。		
十一				祝慶穀河南固始人，監生，南三汛。		
十二				蔡政江蘇陽湖人，北三汛。按：是年北三汛州判改自巡檢。孫星衢江蘇陽湖人，監生，北三汛，後官石景山同知。		
十三				楊漢源山東蘭山人，拔貢，閏五月任，州判。		

十四	十五	十六
何貞南三汛，詳北九工，東安主簿。	金國瑞南三汛。 支甯祥北三汛，詳北五汛，永清縣丞。 李國屏河南鄭州人，增貢，署北三汛。 何貞北三汛，詳前。 何維綺四月回任，州判。 黄理湖北京山人，六月任，州判。	李武曾河南洛陽人，四月任，州判。

十七			毛廷棟南三汛。		
十八			陳禾北三汛，詳淀汛，霸州巡檢。		
十九	張曦午山西臨汾人，閏二月任，州判。		蔣宗鏞南三汛，詳南八汛，武清縣丞。 胡侍丹，北三汛，詳北五汛，永清主簿。 陳選湖北蘄州人，四月任，州判。		
二十一			楊浩江蘇陽湖人，十月任，州判。		
二十二			馬錞三月任，南三汛。 呂炤江蘇陽湖人，三月任，州判。		

			謝種藍，順昌人，附貢，四月任，州判。		
二十三			喬巨英，山西太原人，二月任，南三汛。 汪兆鵬，山東歷城人，監生，五月任，北三汛。		
二十四			胡侍丹，正月再任，北三汛。		
二十五			張鳳岐，八月任，州判。 李錫祚，九月任，州判。		
道光元年	阮亦昂，七月任，漷州		朱琓，浙江海甯人，二月		

	判。 羅慶元，十月任漷州判。		任，州判。 謝種藍正月回任州判。		
二	毛占樞浙江餘姚人，二月任，州判。 袁桐浙江新城人，正月任，漷州判。		楊泰階十二月任，北三汛。		
三	張曦午十月再任，州判。		包駿十月任，北三汛。		
四	莊寶瑛江蘇武進人，閏七月任，州判。		蔣宗暘，九月任北三汛。		
五			武綿齡山西交城人，貢生，八月任，州判。		

六	瞿良，江蘇武進人，二月任，州判。 莊寶瑛，三月再任，州判。		王仲蘭，二月任，南三汛。 李世輔，廣東香山人，拔貢，七月任，州判。 袁錫成，河南新蔡人，十一月任，州判。 毛廷棟，江蘇吴人，十二月任，州判。		
十	管嗣許，八月任，漷州判。		喬巨英，十一月任，南三汛。 任書麟，安徽舒城人，十月任，州判。		
十一			莊曾培，江蘇奉賢人，三月任，州判。		

十二	李維垣山東惠民人，十月任，州判。		廖蕃江西南城人，六月任，州判。		
十三			陳光德浙江上虞人，十二月任，州判。		
十四	費懋德奉天開原人，十二月任，漷州判。		王仲蘭，二月任，北三汛。 蔡圻江西德化人，廩貢，正月任，州判。		
十五			祝恂浙江秀水人，四月任，州判。		
十六	沈檠，十二月任，州判，詳州同。		李培文廣東嘉應人，五月任，州判。		

			楊燕縉山東蓬萊人，八月任，州判。		
十七	厲維梁浙江蕭山人，二月任，州判。陳瑀八月任，州判。		陳禾，由南二汛良鄉縣丞兼署，南三汛，詳淀汛，霸州巡檢。		
十八			羅瀛，閏四月任南三汛。		
十九			嚴鋐由州吏目署，州判。		
二十			徐敦義，五月任北三汛。張庚江西南城人，貢生，十月任，州判。		
二十一			陳禾，九月再任南三		

			汛。蕭光裕江蘇吳人，十月任，州判。		
二十二			周璜廣東順德人，六月任，州判。		
二十三	沈棨閏七月再任，州判。鄧錫恩四川崇慶人，閏七月任，州判。		張鑾江蘇宿遷人，舉人，十一月任，南三汛。		
二十四	戴百和二月任，漷州判。任元山西汾陽人，九月任，州判。		徐本培浙江德清人，監生，十月任，北三汛。		
二十五			嵇蘭生五月任，南三汛，咸豐三年去。		

			司馬鍾十一月任，北三汛。湯成允江蘇陽湖人，七月任，州判。鄒寅亮江蘇丹徒人，十二月任，州判。		
二十七	王鳳楷，五月任，漷州判。		龐光辰，十月任，北三汛。余錫恩浙江會稽人，十二月任，州判。		
二十八			謝熉江西宜黃人，七月任，州判。		
二十九	張紹仲河南密人，七月任，州判。				

三十	吳元忭江蘇沭陽人，四月任，州判。		沈棨六月任，北三汛，詳通州州同、州判。		
咸豐元年			龎光辰正月復任，北三汛。 鄧錫恩四川崇慶州人，四月任，州判。		
二			汪福謙江蘇吳人，五月任，州判。		
三			張惟型七月任，南三汛。 李墉四月任，州判。		
四	鄧錫恩五月再任，州		何承祐二月任，南三汛。		

	判，四年遷知通州。閔松壽四川成都人，閏七月任，州判。		汪玉藻，三月任北三汛。蕭履中，四月任州判。		
五	宋克振山西汾陽人，二月任，州判。葉守貞江蘇青浦人，二月任，州判。		支履和十一月任，南三汛。陳贊清正月由南下汛、宛平縣丞調北三汛，出力，以知縣用，六年署良鄉。		
六	胡世華江蘇青浦人，二月任，州判。		朱錫慶，十月任南三汛。葛震八月任，北三汛。		
七	任爾會山西汾陽人，二月任，州判。		項寶善河南密人，監生，十月任，南		

	黃金荃，二月任，瀞州判。胡世華，十二月任，瀞州判，詳州判。		三汛。賈榮勳浙江山陰人，監生，十一月任，北三汛。沈兆祥江蘇元和人，四月任，州判。		
九			賈慶熙浙江山陰人，監生，七月任，北三汛。潘星華江蘇常熟人，二月任，州判。		
十			沈昭祖浙江歸安人，監生，正月任，北三汛。		
同治元年	任邦俊江西南昌人，正月任，州判。		王廣愛，五月任，州判。		

二	陸以誠六月遷自香河主簿。		黃安瀾江西宜黃人，舉人，十二月任，北三汛。		
三			李璜安徽望江人，附貢，九月任，州判。		
四	汪瀛浙江錢塘人，閏五月任，州判。				
五	林牟貽山東掖人，十一月任，州判。				
六			鄭衍恆，八月任北三汛。	白上賢山西介休人，舉人，任六汛。	
七			哈清阿，三月任南三汛。		
八	陳壽椿，二月任漷州判。		岳奎齡，二月任南三汛。		

	鍾沅浙江蕭山人，舉人，四月任，滆州判。		羅嘉會正月由州吏目署州判。 薛景泰山東館陶人，增貢，八月任，州判。		
九	陸清泰江蘇長洲人，二月任，州判。		陳詠桂，五月任，南三汛。		
十	姚定元浙江歸安人，三月任，州判。		陳楓南三汛，光緒二年去。 葉昌緒，四月任北三汛。		
十一	朱聯芳浙江烏程人，七月任，州判。 單心傳山東高密人，十月任，州判。 林牟貽十二月再任，		凌道增安徽定遠人，監生，四月任，北三汛。		

	州判。				
十二	蔣頣山，三月任漷州判。曹友泰十一月任，漷州判。				
十三	胡世華八月再任，漷州判。		茅光耀。南三汛		
光緒二年	程肇鑄，十月任州判。朱聯芳十一月任，州判。		陳安瀾，四月任南三汛。芳光耀八月回任，南三汛。曾雲松貴州歸化人，監生，九月任，北三汛。		
三	莊舟孫十二月任，漷州判。		童湛北三汛。		

四	王原祺，六月任漷州州判。凌道增，十月任州判，詳北三汛，涿州州判。				
五			潘詠蕙，浙江德清人，四月任，州判。童湛，八月再任北三汛。范履福，江西德化人，十月任。		
六			周蓉第，浙江仁和人，十一月任。		

華陽吴祖椿校

官師志十四

國朝主簿表六 廢漷縣主簿，姓名無考。

德清傅雲龍纂　江陰繆荃孫覆輯

大興主簿
宛平主簿　永定河北頭下汛主簿
良鄉主簿　北二汛主簿
固安主簿　北四汛主簿
永清北五汛主簿
東安北七汛主簿
香河縣主簿
武清河西務主簿　北八汛武清主簿　北九汛武清主簿
寶坻主簿
甯河主簿
文安主簿
大城主簿
霸保管河主簿

	順治元年	二	三
	林文潨	汪應薦浙江寧波人。	
	吴大受四年裁。		
	汪應薦浙江寧波人，監生。		何應瑞湖廣
北頭上汛主簿 南八汛主簿	張時浙江山陰人。		
		劉煥如浙江人。缺裁。	
	李天沐江西人。		

	八	九	十一
漢陽人，吏員。按：是年裁缺，雍正四年復設北四汛。			
	汪之璁湖廣武昌人。	馮養性陝西三原人。	陶文會浙江會稽人。

十四	十六	年未詳	康熙元年
		王爾煜	
周之翰山東安東衛人。	董士泰安徽涇人。		侯繩芳河南安陽人。
		王曰然福建人。萬士奇湖廣人。	

二十一	二十五	三十四	三十六
上官濱 江蘇上元人。	郭維城 浙江仁和人，吏員。	方治賦 江南石埭人，監生。	尹元震 浙江山陰人，監生。

三十七	四十九	五十二	年未詳
	王琳 浙江山陰人。	鄭弘達 浙江上虞人，監生，二月署，五十四年四月任。已上並河西務。	
			白玉奇 江西
黃廷鐸 鑲紅旗人，監生。			

人，歲貢。

謝學達浙江人，遷大興縣丞。

諸日彤浙江人，遷知□縣。

任銓浙江人。

樊繼義陝西人。

路充璼長葛

	雍正五年	六	七
	朱明琦 浙江義烏人，監生。		
	祝兆書 鑲紅旗漢軍，監生。		
	王元卿 山西懷仁人。		
	顧廣生 江南吳江人，監生。		
	惲源濬 北七汛，詳傳。		滿源
	陳培 浙江錢塘人，監生，北八汛。	曹進 山西太平人，五月任，河西務。	
人。胡開運 浙江山陰人，改自州同，堤埝有功。			

							清北七汛，調自永清典史。						
八				張大宏，固安人，吏員。									
九					葛士達，山西大同人，吏員。		陳琦，浙江宣平人，吏員，北七汛。						
十一				李登瀛，江南桐城人。									
十二			許廷		來維		張人						

	十三
璧 江南江都人。	
寬 浙江蕭山人。	吳端起 直隸鉅鹿人，監生。
	張日煜
鑑 四川金堂人，北七汛。 徐文龍 山西大同人，北九汛官始。	周岐熊 山西忻人，北七汛。 詹暟 江南阜甯人，北七汛。 張學
	李大成 北八汛。 葛光祖 浙江餘姚人，北八汛。

	年未詳
守江南如皋人，遷漷縣州判。李逸客陝西三原人，北九汛。	
	姜之景浙江會稽人。李大成浙江山陰人。葛光

	乾隆元年	二
	唐綱江南歙人，監生。	謝有
	牛兆乾天津人，監生。	蔣麟
		董溶
		袁鯤
	邢紹周北九汛，調自北八汛，武清主簿。 李光昭北九汛，調自南八汛，武清丞。	龍廷
	王永任北八汛。 邢紹周北八汛。	葛光
祖詳武清，北八汛。 曹進平陽人。		

忠　浙江餘姚人。
浙江金華人。
豐潤人。
化　江南寶應人，監生。
棟　江南望江人，監生，北七汛，遷永清丞。韓極　交河人，監生，北七汛。
祖　閏九月任，河西務，詳上。蔡亨宜　福建龍溪人，監生，北八汛。王鏞　大興人，監生，北八汛。滿保　鑲白旗人，監生，北八汛。

三	四
鄧維植，福建沙人，監生。　蔣麟，由北二、良鄉主簿調。	吴敬勝，詳北
趙廷臣，慶都人，監生。	
陳之紀，東安人，監生。	
吴廷鉉，江蘇金匱人，監生，北七汛。　鄧維植，北九汛，詳宛平主簿。	韓極，再任，北七汛。
吴汝義，直隸人，監生，北八汛。　胡惟正，北八汛，詳淀汛，霸州州判。　李光昭，北八汛，詳南八汛，武清丞。	金燃，浙江錢塘人，

	五	六	七
三工，涿州吏目。			
			修禮　鑲藍旗人，監生。
	高自偉　甯晉人，監生。 朱廷和　浙江上虞人。		
		唐綱　江南歙人，監生，北七汛。	張永　江南山陽人，
監生，北八汛。		謝璋　湖北潛江人，監生，北八汛。	

	八	九
		陳陽瑛 武清人，監生。
		鄧維植 詳北頭汛，宛平主簿。
監生，北七汛。	顧之岑 江蘇如皋人，監生，北七汛。 劉思忠 山東棲霞人，監生，北九汛。	
	黄維藩 浙江山陰人，監生，北八汛。	陳吉亨 天津人，監生。

十年前	十	十二	十三
	謝有忠 再任。		
		蔡明任 湖北潛江人，監生。	
			劉權 鑲白旗人，監生。 張壬
	何士豫 江南丹徒人，監生。		
		甘士琮 正藍旗人，監生，北八汛。	
倪英錦 四川崇慶人。	鍾秉惠 浙江蕭山人。		

	十四	十五	十六	十七
	張永 江南山陽人，監生。		張壬仕 詳北四汛，固安主簿。	
	馮誠 鑲黃旗人，監生。	劉思忠 山東棲霞人，監生。	邵世球 東安人，監生。	
仕 湖北漢陽人，監生。		張法曾 景州人，監生。		陳鵬
		謝璋 再任，北八汛。		

	十八	十九	二十
	章晉傑清苑人，吏員。	陳龍文江蘇吳江人，監生。	張光曾江蘇長洲人，監生。
舉江南山陽人，吏員。			徐傳韓江蘇崑山人，監生。
	邵世球北八汛，詳良鄉。		蕭拔廣東平遠人，北八汛。　章晉

	二十二	二十三	二十四
蔡士鼎浙江會稽人監生。			
		余明德湖南平江人，貢生。	陳熙志湖南
	蔡士鼎詳北二汛，主簿，良鄉主簿。	陳際甯江南上元人。	
			鍾秉惠浙江人。
傑北八汛，詳北二汛，良鄉主簿。		單奇齡浙江蕭山人，北八汛。	

	二十五	二十六	二十七	二十
	王居璉 陝西蒲城人，監生。			
		王廷楫 安徽婺源人，監生。	李再紳 湖南湘潭人，貢生。	
武陵人，拔貢。				
				徐德
		張曾綬 安徽桐城人。		王湘
				王瀾
				高自

八	二十九	三十三
		張兆旭 江蘇江都人。
	王湘若 詳北八汎，武清主簿。	李光璧 山西曲沃人，貢生。
頤 江蘇崑山人。		
若 江蘇陽湖人，供事，北八汎。 陳崙 江蘇江都人，監生。		
浙江錢塘人。		
偉 詳固安主簿。		
	王廷曾 鑲黃旗人。	

	三十四	三十五	三十七
金聞洽江蘇太倉人，監生。			
	劉豹湖南鳳凰廳人，拔貢。	顧森四川華陽人，監生。	
	張鈞廣東嘉應人，吏員。		
	張習詳北六汛，霸州吏目。		
	章佩瑜安徽貴池人，監生，北八汛。	李光理安徽盧江人，拔貢，北八汛。	王善基山東

	三十八	四十	四十
		王三傑 甘肅甯翔人，副貢。	馬毓秀 山東東平人，拔貢。
		王凝才 詳北三工，涿州吏目。	
		汪世蘭 詳北六工，霸州吏目。	
，福山人北八汛。	湯嗣新 北八汛，詳南八汛，武清縣丞。		顧森 四川華陽人，監生，北八汛。

四十五			吳元吉 江蘇如皋人，監生。	陳佩蘭 詳北三汛，涿州吏目。				鄒試 湖北漢陽人，北八汛。					
四十六		雷春天 四川華陽人，監生。按：是年改下汛。	殷長經 詳北六汛，霸州吏目。										
四十七					張顏 江蘇如皋人，貢生。								
四十九			鄒試 詳北八汛，武					王三傑 甘肅					

	五十	五十一	五十
	周永照 詳北三汛，涿州吏目。	姚祖善 浙江，錢塘人，監生，署。 陸之燦 浙江，仁和人，監生。	袁璣
清主簿。			
，甯翔人，副貢，北八汛。	藍枝美 四川，新津人，北八汛。		

二	五十三	五十四
浙江諸暨人，監生。		
	李元林 詳北三汛，涿州吏目。	
		李培林 山西介休人，監生。
	汪世蘭 江蘇山陽人，吏目。	
	馮瑛 北八汛，詳北六汛，霸州吏目。	李恭益 浙江鄞人，監生，北九汛。按：是年北八汛，武清主簿改東安主簿，而東安北九汛主簿

	五十五	五十六	五十七
	徐光奎 江蘇清河人，監生。		田宏猷 江蘇桃源人，監生。
，改爲武清主簿。	潘璘 江蘇栗陽人，難廕，北九汛。	沈榮 浙江山陰人，供事，北九汛。	

五十八	五十九	六十	年未詳
	黃釗湖南善化人，監生。	吳懷詳北八汛，東安主簿。	
劉德城廣東長樂人，監生。	唐大椿安徽歙人，監生。	范璵浙江秀水人，監生。	
聶恭詳北三汛，涿州吏目。			
		沈榮詳北九汛，武清主簿。	
		戚祖夔湖北江夏人。	吳維新浙江山陰人。（據吳氏譜）

嘉慶三年	四	五	六	七
		劉藩 詳北三汛，涿州吏目。		馬同
	張樂昌 浙江人。		王蓉初 江蘇清河人，從九署。	
			范石倉 浙江仁和人，監生。	
	賈紹封 江蘇武進人，供事。		周安國 調自北九汛，武清主簿。	
周安國 北九汛。			孫成褒 浙江歸安人，監生。	李文

	九
書詳北六汛，霸州吏目。 胡奉恩安徽桐城人，監生。 王鎮廣東海康人，縣丞，署。	張士鑑詳北三汛，涿州吏目。
	劉垓山東諸城人，監生，署。
英北九汛，詳北六汛，霸州吏目。 吴炳江蘇江陰人，監生。	

十	十一
	熊炯
屈邦基 江蘇常熟人，監生，署。劉垓 再任。孔昭誠 山東曲阜人，監生。	陳鎮標
周以昭 浙江嘉善人，署。吴炳 復任。	莊寶瑛 江蘇武進人，從九，任北上汛頭，主簿。按：

	十二	十三	十七
	北頭工下汛宛平主簿，改縣丞。		
	北二汛良鄉主簿，改縣丞。		
	北四汛固安主簿，改縣丞。		
	北五工永清主簿，改縣丞。		
是年北九汛移此。	武清北頭上汛主簿，改縣丞。	陳鎮標 南八汛縣丞改主簿始此。 金國瑞 署南八汛。	蔣景暘 江蘇元和人，南八

	二十二	二十四	二十五	道光二年
		徐鏞 浙江德清人，監生，四月任，丁憂去。		
汛。	陳佩蘭 三月任，南八汛。	潘炯 八月任，南八汛。	蔣景暘 八月再任，南八汛。	張夢麟 江蘇

	四	九
	李國喬 河南鄭州人，監生，正月由未入流署。	
銅山人，正月任，南八汛。 楊夔生 江蘇金匱人，十一月任，南八汛。	沈元文 九月任，南八汛。	張瀛 江蘇蕭人，二
		沈文毅 浙江

	十	十一	十二
	沈文毅九月調自霸、保縣主簿，十四年卒。		
月任，南八汛。	沈元文八月回任，南八汛。	錢寶珊江蘇長洲人，監生，四月任，南八汛。	柳廷森四月
海甯人，後調香河主簿。			

	十五	十四
		嵇蘭生 浙江德清人，監生，三月由未入流署，九月去。　傅大剛 浙江山陰人，供事，九月調自青
任，南八汛。	程志達 南八汛。	

	十六	十八	二十
縣主簿，遷大名縣丞。	程椿 遷自宛平巡檢，六月任，二十一年遷滿、完縣丞。		
		嚴士鈞 正月任，南八汛。	李敦壽 四月任，南八汛。

二十一	二十二	二十
陳孚治浙江桐鄉人，監生，由從九署。王國樑十一月任，二十二年調霸、保主簿。	徐鏞四月回任，二十四年調署滿、完縣丞。	
姚煦，六月任南八汛。		朱溥
	王國樑調自香河主簿。	

三								浙江歸安人，十二月任，南八汛。					
二十四							朱澄 浙江烏程人，監生，十月由從九品署，二十五年去。	黃守堅 五月任，南八汛。					
二十五							徐鏞 七月同任，遷新雄縣丞。	錢萬青 浙江會稽人，議敘，三月任，南八汛。					
二十								姜由					

六	二十七
	趙元章江蘇常熟人，供事，四年由未入流署。 諸畬江蘇陽湖人，監生，六月三十年丁憂。
軾江蘇六合人，議敘，六月任，南八汛。	汪玉藻浙江秀水人，七月任，南八汛。

二十九	三十	咸豐
	程大禮 浙江山陰人，吏員，六月由從九代理。 徐作霖 廣東鎮平人，監生，八月由未入流署。	劉錫
錢寶珊 三月再任，南八汛。	普慶 滿洲鑲藍旗人，附貢，四月任，南八汛。	
	劉錫春 江西南昌人，監生，遷自清苑典史，咸豐元年移香河主簿。	

元年	二	四
春正月 移文安縣主簿，卒官。 袁文潮 浙江山陰人，吏員，十二月由從九署。	徐綖 江蘇吳人，監生，三月任，後遷知縣。	
		施成釗 浙江

	五	六	七
			陳鏡清 署，遷固安丞，餘
		黃殿霖 河南商城人，監生，六月由從九署。	謝應祥 浙江山陰人，監生
山陰人，四月任，南八汛。	沈賡颺 浙江仁和人，四月任，南八汛。	陸錫曾 八月任，南八汛。	洪琨 安徽祁門人，二月任，南八

	八	九	十
詳武清丞。			
，正月任，遷縣丞。			
汛。	嚴長生 河西務。 鄭衍恒 八月任，南八汛。	賈端昌 浙江山陰人，二月任，南八汛。	汪紀書 山東

	十一	同治二年
	陸以誠江蘇上元人，十一月遷自東明典史，後遷通州州判。	湯承露江西南豐人，供事，五月由未入流署。姜良
歷城人，二月任，南八汛。	金賢良六月任，南八汛。	袁振綱山西靈邱人，河西務。張廷楨河南

	三	四
駇江蘇六合人，監生，十二月任，調武清主簿。		李永椿十一月由典史兼署。 金賢良十一月調自武清主
夏邑人，二月任，南八汛。	曹文懿六月任，南八汛。	金賢良河西務，調自宛平巡檢，調香河主簿。 汪紀書十一

	五	六	八
簿。			
月任，南八汛。	焦頤齡江蘇上元人，河西務。 鄭衍恆十月任，南八汛。	陳峻山東菏澤人，七月任，南八汛。	徐慶錫河南
	汪國楨江蘇上元人，十一月任。		
		董承惠浙江會稽人，五月任。	

								光山人，三月任，南八汛。					
九								崔祥烈 安徽太平人，河西務。陳安瀾 十二月任，南八汛。					
十一								張慶平 浙江山陰人，八月任，南八汛。					

	十二
李昌第，山東聊城人，十一月任，南八汛。	方志勤，安徽歙人，十月任，南八汛。仲燕祥，浙江德清人，任河西務，十三年正月兼香河主簿。

十三	光緒元年
仲燕祥正月由武清主簿兼署。陳廷勳浙江山陰人，監生，三月由典史署。	項壽堃江蘇陽湖人，監生，九月任，二年調文大主簿。
周珩浙江會稽人，五月任，南八汛。	賀德厚山東歷城人，河西務。仲燕祥十一

	二	三
	莊舟孫 四月署。 狄善 江蘇溧陽人，供事，五月由文、大主簿署，十月署香河典史。	
月任，南八汛，詳上。	莊周孫 浙江秀水人，河西務，調署涿州判。 李占春 二月任，南八汛。	方志勤 同任，南八汛。

四	五
莊舟孫 十一月再署。 項壽堃 十一月回任。	
莊周孫 由溓州判復任，河西務。 何翼堂 四月任，南八汛。 仲燕祥 十一月再任，南八汛。	温紹齡 山西徐溝人，二月任，南八汛。

	六
方志勤 八月再任，南八汛。	仲燕祥 復任，南八汛。

華陽吳祖椿校

官師志十五

國朝吏目典史表七

德清傅雲龍纂 江陰繆荃孫覆輯

	順治元年	三
大興縣典史		
宛平縣典史		
良鄉縣典史	喬江河南人，吏員。	吴國楨浙江人，吏員。
固安縣典史	勞志甯浙江紹興人，吏員。	
永清縣典史	朱應錦	
東安縣典史		
香河縣典史		
通州吏目 漷縣典史（廢）	章應龍通州吏目。以下不注。 崔四覲漷縣典史。	

五						陶宏才詳傳。言大學浙江紹興人。		
六			陳嘉志浙江人，吏員。					
八			程希宗湖廣人。		陳明浙江新城人。			
九				周家助浙江紹興人，吏員。				
十一					劉漢鼎陝西渭南人。	顧相浙江紹興人。		
十二				王毓璘				

	十三	十六年 前
		孫啟星 陳懋德浙江上虞人，遷邠州吏目。 姜思齊 胡鼎臣 宋應德浙江鄞人，遷鎮江司獄。
		徐國材 王應柱 武鳳麟 陳更新 陳澥江南績溪人，吏員，遷廣東康鄉巡檢。
		王平浙江人，吏員，遷淮安府照磨。
浙江山陰人，吏員。		
	王敩順天人，貢生。	
		馮邦顯陝西人。
		張振祖福建人。 柴際盛浙江山陰人。 陳芳浙江紹興人。 楊鳳翥甘肅鎮番衛人，監生，遷蘇州府知事。已上吏目。 劉廷良

								章文楷 劉士章 已上三人，漯縣典史，十六年廢。
十六						徐中暢 青陽人。		
十七				范一經 浙江紹興人，吏員。	馮自都 陝西長安人。			
十八								范鐵鉉 山西大同人。
康熙元年						葉邦治 浙江義烏人。		
三					王貞 浙江金華人。			

六年前	劉三才陝西臨潼人。 施承謙江南表陽人。	楊維陝西富平人，吏員，遷翁源巡檢。						
六	季仲夏陝西華州人。			胡成美浙江紹興人，吏員。				
八	郝鳴鳳陝西富平人。							
九						袁希麟陝西富平人。		
十					馬之健陝西富平人。			

前十一年		高映星 山東清平人，吏員。					程啟明 湖廣人。亢文炳 順天人。	張元 浙江山陰人。孟錫祚 浙江山陰人。
十一	吉文炳							任錫 陝西同官人。
十二						徐同 浙江會稽人。		
十三	徐一坤 浙江會稽人。			董銘彝 江南高郵人。	王遴賢 浙江山陰人。			
十四						邵觀 浙江鄞人。		沈天安 浙江人。
十五					王錫祚 浙江會稽人，無逸盜。			

十六	林國楨浙江山陰人。							
十七年前							古良極陝西人。崔朝奉順天人。周大器浙江人。□□仁陝西富平人。	
十七	童引汸浙江會稽人。						李學成陝西富平人，吏員，校縣志。	
十八								郭用奇山西介休人。

十九	張義 湖廣武昌人。					章國英 浙江會稽人。		
二十	葉聲遠 真定人。							
二十二年前		朱一錦 陝西富平人，吏員。 薛仁鎔 浙江山陰人，吏員。 王道和 天津衛人，吏員。						
二十二								范連 浙江會稽人。
二十四				王文昱 陝西三原人。				郎應璧 浙江山陰人。

二十五								杜鴻佩詳傳。
二十八						史綱浙江會稽人。		
三十一年前				郎應璧由永清典史兼署。				
三十一				陳勝策浙江秀水人。				
三十五				唐愛民河南襄城人。				
三十六						王有功山東商河人。		
三十七年前			唐文惠浙江人。趙世英					

			河南西平人。陳相可浙江紹興人。秦國琦浙江紹興人。蘇世望浙江紹興人。						
三十七			朱國輔浙江紹興人。						何錫祚浙江仁和人，監生。
三十九							宋斌山東章邱人。		
四十一							薛莪河南洛陽人。		
四十三									辰之屏

四十五年前				宋吉 江南石埭人，由永清典史署。按：永清李志，宋作木，未詳孰是。其署此在永清任前。				
四十五				李瑤蓴 江南無錫人，遷自武清驛丞。				
四十六								李鼎銓 福建晉江人，監生。
四十八						王斌如 浙江蕭山人。		

四十九年前				解大章浙江仁和人，由滿城典史署。				
四十九				王澤普陝西安塞人。	木吉按：今固安陳志，木作宋。			
五十			魏之恩山東人，後署固安典史。					
五十一				魏之恩由良鄉典史署。				
五十二				趙學正山東鉅野人。				
五十四				張桓由房				吳文煊

年前				山典史署。				浙江山陰人，監生。（據吴氏譜）
五十四				董繼書 山西定襄人。				
六十一					崔爾倫	葉威 山西前衛人。		
雍正六年								李時升 江南江甯人，監生。
七					滿源清 四川峩眉人，調東安北七汛，主簿。（據東安李志）按：源，李志作			陳宏 甘肅蘭州衛人，吏員，調通流閘閘官。

					原，今依永定河志正。			
九					王錫藩奉天海城人，丁酉舉人。			
十一								吴文烜再任，詳上。
十二						陸溥江南上海人，吏員。		
十三								修鑭山東單人，貢生，調保安吏目。
乾隆二年					馮恂趙州甯晉人，乙酉舉			

					人。			
三						武克勳臨汾人，供事。		洪葉馨福建晉江人，監生，遷江西龍泉縣丞。
五						薛遠浙江山陰人，吏員。		
七						朱以忠浙江蕭山人，供事。		
八						姚廷會浙江山陰人，吏員。		
十			穆鳳輝					

十三								葉驥江南元和人，監生。
十四				陳國珍浙江山陰人。				
十八					王鷗雲南昆明人，吏員。陳天誼江蘇丹陽人，監生。			
二十			張作瑾					
二十二								張凌閣山西太谷人，監生。
二十三								狄瀛江南

								溧陽人，監生。
二十四					陳光祖廣東嘉應人，監生。		李楷浙江錢塘人。	
二十五								彭紹文江南元和人，監生。
二十八	馮騰浙江山陰人。		穆孔輝江南江甯人。		李榮貴四川成都人，署。 吳國兆江蘇江甯人。	劉定江西上猶人。		
二十九		虞煌浙江山陰人。			謝鴻儒廣東連平人，監生。			

三十一								王鴻耀山東諸城人，監生，調遵化吏目。
三十三					王世景署。趙燦章汾州平遙人，監生。		金國珍浙江會稽人，供事。	師萬湘湖南長沙人，監生。
三十五	林繼篁八月調自甯河典史。			談澍浙江錢塘人。				
三十七	涂鼎先江西靖安人，監生。				費琮浙江仁和人，監生。			
四十					李樹河南			

					夏邑人，監生，署。			
四十一			葉權江蘇蘇州人。		胡繩武浙江會稽人，供事。			
四十四								席世綬江蘇太湖人，監生。
嘉慶十六年			張策甘肅張掖人。					
二十四							陳有智安徽石埭人，供事，八月任。	
二十五					王溱			
年未詳	吴一彤							

	浙江山陰人。（據吳氏譜）							
道光元年					彭壽臣 江西瀘人，監生。			
二					金志融 江蘇江甯人，監生。 周受康			
三			武鴻寶 安徽定遠人。 魯行炯 湖北江夏人。					
四					李培文 廣東嘉應人，監生。		謝星五 浙江山陰人，監生，歷武强典史，八	

								月任，十一年八月去。	
五			倪振江蘇武進人。曾朝龍湖北通山人。			馮受康江蘇武進人。金士階江西鄱陽人，吏員。			
六			費如珪安徽盱眙人。						
七			鍾成輝浙江山陰人。			楊榮藻浙江海甯人，監生。			
八						魯行煙湖北江夏人。盧鴻章			

	九	十一	十二
			鍾沅浙江蕭山人，監生，署。李崇慶山東歷城人，監生。
署。曹鎔安徽桐城人，九年去。	張應富安徽祁門人，十三年去。		
		保瑞滿洲鑲白旗人，嘉慶己卯副貢，八月署。	謝星五正月同任，十八年去。

十三					陳文煜安徽石埭人，監生。			
十四			談紳綬江蘇武進人。		周六謙四川威遠人。			陳文煜二月調自永清典史。
十五								余介亭浙江山陰人，正月任。蔣啟廷廣西全州人，九月任。
十六						任麟書安徽舒城人，監生，八月署，十八年去。		

十七	十八	十九	二十
	胡雲吉 安徽桐城人。		
陳嵩年 浙江會稽人。	王紹曾 江蘇金壇人。		
	章絢文 浙江歸安人，監生，八月任，二十年去。		王棟 天奉
	李培文 廣東嘉應人，監生，七月署。 謝星五 十一月同任，十九年去。	劉榮勳 廣東香山人，監生，六月署。 謝星五 十二月同任。	
嵇蘭生 浙江德清人，三月任。	楊仁傑 四川崇甯人，三月任。	許鵬程 四川華陽人，正月任。	

						承德人，監生，八月署，二十一年去。		
二十一						張維型山東昌邑人，吏員，二月署，八月去。毛仰曾浙江餘姚人，監生，八月署，二十五年去。	王毓林浙江山陰人，監生，十一月署。謝星五十一月同任，二十三年卒。	
二十二			顧堮江蘇吳人。					
二十三							沈以鏞浙江海甯人，監	程嘉柱江蘇元和人，九月

							生，閏七月署。汪川如浙江仁和人，供事，八月署。	任。賈榮江蘇上元人。
二十四					劉錫維湖北漢陽人。		陳錫綸浙江海鹽人，監生，二月任，二十五年去。	吳涵一江蘇陽湖人，五月任。
二十五	牟燮和	蔡應元			杜承懋浙江山陰人，供事。	馮允中浙江山陰人，吏員，四月署，十月去。童恆麟山東歷城人，監	徐鎣浙江德清人，十二月署。陳錫綸十二月回任，咸豐元年去，尋回任，	

						生，十月任，二十九年去。	二年調棗强典史。	
二十六	趙永盛署。徐鳳喈							
二十七		蕭端成署。						
二十八		蕭光裕	白維由縣丞兼理。	洪恩福安徽祁門人，署，後歷署武清、房山巡檢，通州驛丞，房山丞，昌平吏目，大城典史，南西，北司獄。				

二十九	賈榮世 署。李光瀾 同治三年去。	歐陽煒 署。			徐大經 浙江山陰人。	姚淦 浙江慈谿人，六月署。向尚哲 四川長壽人，監生，八月任，咸豐八年去。		王式金 安徽青陽人，三月任。車德符 浙江會稽人，十二月任。
三十		蕭光裕 再任。			徐雲翔 浙江會稽人，供事，三月任。			
咸豐元年		葉道芬 署。蕭香					程大禮 浙江山陰人，吏員，六月署。	
二		王彥彬 署，詳密雲巡檢。	歐陽煒 由縣丞兼理。				歐陽煒 十一月由良鄉丞署。	

三		蕭端成再署。					張兆魚浙江會稽人，供事，二月調自棗强典史，六月調安成典史。	
四		李建中同治三年去。						
六年前				陸湘 汪濤安徽桐城人，監生。				
六				王彥彬正月署，詳密雲巡檢。 陳炳杰	王啟浙江平湖人，供事，三月任。 徐雲翔		錢智良浙江會稽人，監生，二月署。	吳輔廷浙江山陰人，七月任。 吳崍湖南

	七	八	十
			王肇垕 浙江山陰人。
湖南善化人，監生，閏五月任。			
六月同任。			
		陳紹諶 浙江山陰人，吏員，三月署，十年去。	丁學洙 浙江山陰人，監
	何福崇 山西靈石人，五月任，八年丁憂。	嵇錫恩 浙江德清人，監生，四月任。 仝紹周 山東海豐人，供事，九月任，同治元年丁憂。	
武陵人，七月任。	王金聲 陝西韓城人，六月任。		李成章 三月署，詳河西務

			蕭端成 浙江餘姚人。			生，六月署。潘光烜 奉天錦人，十一月任。		巡檢。
十一			侯廷鐸 山西平遥人。					王金聲 四月再任。
同治元年					林燡 浙江山陰人，供事，十一月任。		沈士彬 浙江仁和人，監生，九月署。	
二			陳國祥 浙江山陰人，吏員。			張嘉楨 浙江鄞人，監生，十月任，九年去。	李永椿 山西介休人，監生，二月任，八年去。	
三	史昭恭	徐祖望			陳文泉			

七	五	四	
			山東樂陵人，署。孟炳十一年去。
		歸瀛光緒二年去。	署。
沈士彬詳香河典史。			浙江山陰人。陳贊安徽石埭人，三月任，七年去，八年署南路司獄。
	袁駿浙江鄞人，七月任。陶心培浙江會稽人，供事，九月選。		

八	九
	朱濤江蘇武進人，署。畢建邦浙江新昌人，署。陳國祥七月同任。
唐金壽江蘇江都人，三月任。陳贊二十月由南路司獄同任，十年去。	
	侯廷鐸山西平遙人，監生，四月署，十二年去。
史昭恭四月署，詳大興典史。李永椿十二月同任，遷通判。	李重華安徽石埭人，吏員，五月署。姚廷爵河南登封人，監生，十一月任，光緒二年課最，調赴河南。

十一	徐大經署。沈兆祥江蘇元和人。			王悅三月署，十二年二月去，餘詳武清巡檢。	張起鵬浙江山陰人。			
十二				賈鳳瑞由武清典史，署。毛桂榮五月署，詳文安典史，盧溝巡檢，禮賢丞。陳炳杰八月回任，十三年十一月去。	鄭福德奉天昌圖人，吏員，七月任，光緒元年去。	葛元恩浙江仁和人，監生，二月任，光緒三年去。		
十三				王榕旭山東博興人，監				方珽安徽桐城人，正月署。

				生，十一月任。				毛桂榮 浙江餘姚人，正月任。
光緒元年		張起鵬 署。			洪恩福 二月署，詳固安典史。 鄭福德 七月回任。			葉蔭之 江蘇江浦人，二月任。
二		謝錫芬 署。			陸鳳和 六月署。		狄善 十一月任。 姚廷爵 正月回任。	
三		高正邦 安徽貴池人，供事。	洪恩福 署，詳固安典史。		鄭福德 二月回任，四月去。	田起濱 安徽旌德人，監	王恩榮 安徽桐城人，監	

	四	五
陳國祥 八月回任。		
	洪恩福 九月再署，五年四月去。	何樹森 四月任，詳永清典史。
	何樹森 浙江山陰人，監生，四月署，五年補固安典史。 田起濱 八月任，五年去。餘詳東安典史。	蔡廷栻 六月任，十月去。 鄭福德 十月回任。
生，三月署，四月去。	馬維霖 江蘇吳人，監生，四月任，五年去。	朱安 十一月由霸州吏目署。
生，海運，六月署。		姚廷爵 二月回任。

	三河縣典史	武清縣典史	寶坻縣典史	甯河縣典史	昌平州吏目	順義縣典史	密雲縣典史	懷柔縣典史
九		姚廷爵 由香河典史任。					李元印 山東濱州人，供事。	
順治元年		張養清 陝西富平人，吏員。			姚先昌 江西人。		高一第 浙江杭州人。	孫繩職
十					吕一偉 廣西人。			
十一		張宗孔 陝西高陵人，吏員。						
十二							陳本厚 浙江人。	
十五	史文國						謝起東 浙江人。	

	十七	年未詳
浙江山陰人，吏員。		楊來聘　冀應麒山西人。　斯爲美浙江人。　孫國用浙江人。　孫建中山東人。　王文錦陝西人。　劉芳譽江西人。
	張義湖廣武昌人，吏員。	
		葉逢春浙江人。　袁廷相陝西人。　孫蕃陝西人。
	凌天章浙江人。	
		童士彥浙江人，吏員。　費承恩浙江人，吏員。　李培基順天人，吏員。

康熙二年						郭文燦陝西醴泉人，吏員。	茅琮浙江人。	
四					杜唐仕河南人。			
五							竇大章陝西富平人。	
六					屈必伸陝西人。			
八		劉紹祚陝西華州人，吏員。						
九		王法陝西富平人，吏員。						

十		陳陛浙江會稽人，吏員。			魏映奎浙江人。			
十一							章熹江南石埭人。	
十二		裘洽浙江會稽人，吏員。						
十三						朱鼎臣江蘇松江人，吏員。		
十四		蘇世望浙江慈谿人，吏員。						
十七年前	湯有慶浙江人。張希傑							

	山東人。沈光華浙江人。							
十七	張名耀陝西人。							
十八		李濤浙江仁和人，弭盜有聲。						
二十					吴中偉湖廣人，附生。		胡安浙江紹興人。俞嘉賓浙江紹興人。	
二十一						陳循顔江蘇松江人，吏員。		
二十三	繆綸浙江							

	紹興人。							
二十六						郝士美山西陽曲人，吏員。		
二十七	尹章山東人。							
二十八		程績遠河南安陽人，吏員。						
二十九	吴國序江南人。							
三十	衡璽山西人。						張蓁河南人。	
三十二		謝泓道山西太原人，吏員。						

三十三	潘廣居 浙江人。							
三十五		王吉魁 山東陽穀人，吏員。				孫維新 山東青縣人，吏員。		
三十八							房錫陽 山西靈石人。	
四十		劉廷試 山東霑化人。				李廷樞 山東高唐人，吏員。		
四十一							王於泗 山西壽陽人。	
四十三		單世彰 江西人。					周其初 浙江紹興人。	
四十四	趙之彥 陝西人。							

四十五		薛起玟陝西韓城人。						
四十九		王林陝西延川人，十月任。				呂徯姬浙江新昌人，吏員。		
五十一年前	曹文炳河南人。					仲學山浙江紹興人。		
五十一						李呈祥陝西富平人。		
五十二年前			盛世鳴江南人。 董維邦浙江人。 竇凌霄陝西人。 周繩祖					李日新 趙鈺 徐元功 許國柱 喻之昇 潘足則

			陝西人。張恆江南人。					袁黻吉 孟升 譚時萬 劉朝賓 王國柱 趙永澄陝西人。
五十二						趙紹匡陝西富平人，吏員。		李沖山西人。
五十八		俞炳廣東增城人，八月任。				口口謨江西南城人，吏目。		
年未詳			徐顯山東臨清人。					

			沈虬江蘇揚州人。何清山西祁人。					
雍正元年							王思承陝西富平人。	
三	朱宗道山東人。							
四		邢子勉山西太平人，七月任。						
六		沈奇偉浙江會稽人，十二月任。						
八	黄正色浙江人。							

九	十二	年未詳	乾隆二年前	二
許德錦 浙江人。				
	董呂賓 浙江錢塘人，六月任。			
		陳希尹 安徽青陽人。 柯有如 安徽歙人。		
			張允顯 陝西富平人，吏員。	李文林 四川西充人，三月任，十六年正月引疾。
		吴詰 浙江山陰人。（據吴氏譜）		
		吴元烈 浙江山陰人。（據吴氏譜）		

三		楊嘉蓋 江蘇上元人，四月任。						
八	馬德聚 山西人。							
十	丁世榮 浙江人。		高明成 河南扶溝人。					
十六				張毓樑 漢軍鑲黃旗人，正月署，十七年二月去。				
十七				錢元揆 江蘇吳人，監生，二月署。				
二十年				蕭大儀				

前				江西廬陵人，監生。				
二十				續五美 山西絳縣人，三月任，二十四年四月丁憂。				
二十四				趙和音 四月任，二十五年四月去。				
二十五				陶如衡 浙江會稽人，四月任，二十七年閏五月丁憂。				
二十七				沙熙純 江蘇如皋人，貢	周全勳 河南濟源人。		蔣廷謨 浙江山陰人。	曹興祖 安徽青陽人。

	二十九	三十五
	吴棻浙江海鹽人。	
	施廷倫浙江山陰人。	戴藩浙江德清人，監生。
生，閏五月署，七月去。謝鵬飛江蘇宿遷人，監生，七月任，引疾。沙熙純十月復署，二十九年二月去。	林繼堇江西瀘溪人，監生，二月任，三十五年調大興典史。	李維銓山東長山人，監
	吴犖江蘇吴人。	
		郭文焕福建侯官人，歲

					生，八月任，十一月去。高思傳，十一月署，十二月去。謝鵬飛，十二月復任，四十四年引疾。			贡。		
三十七	丁世榮浙江會稽人。					王家履山東諸城人，監生。				
四十四					徐鶴鳴廣東鎮平人，監生，分發州吏目，七月署。					

四十九				王詩載浙江山陰人。				
嘉慶六年			鍾本浙江海甯人，監生，七月任，十八年去。					
十八			張廷綸浙江山陰人，六月任，道光五年去。					
二十				秦焜四川梁山人，監生，十一月任，道光八年九月去。				
道光五			趙熾浙江					

年	七	八	九
蘭谿人，監生，二月任，七年五月去。	裘炆 江西新建人，監生，五月任。 戴煒光 安徽婺源人，八月任，十三年去。		
		陳光德 浙江上虞人，監生，九月署，九年六月去。	孫順 陝西

	十	十三	十四
	王汝霖江蘇陽湖人。		
		汪正泉湖南沅陵人，監生，十一月任，十四年四月去。	王心培山東文登人，監生，四月任，十八年去。王朝慶
榆林人，議敘，六月任，二十一年閏三月去。			

年								
			安徽涇人，監生，十一月任，十九年三月去。					
十九			孫建標浙江會稽人，三月任，咸豐四年去。				王朝慶	
二十							曾良弼江西泰和人，監生。	
二十一				魯鏞浙江山陰人，從九品，閏□月署，九月去。吳治愷湖南臨湘人，監				

				生，九月任，二十九年正月去。				
二十二		吴惠元江蘇陽湖人。						
二十四							陳晉浙江會稽人，監生。	
二十五							席尚珍甘肅迪化人。	
二十七				晁鈺陝西三原人，監生，正月署，七月去。				
二十九		姚炳浙江會稽人。		王彤華			車德符	俞鶴齡

				浙江山陰人，監生，七月任，同治元年五月去。			浙江會稽人，監生。 曹鵬程 安徽天長人，監生。 王彥彬 署，詳密雲巡檢。	十月調自龍門典史，餘詳保定典史。
咸豐四年			吴迪光 安徽桐城人，監生，九月任，五年去。				王沛霖 浙江山陰人，監生。	
五		袁錚 湖北江夏人，四月任。	王永隆 甘肅張掖人，九月任，六年八月去。				沈廷榮 河南祥符人，監生。	
六			朱寶堂					

	七	八	九
浙江山陰人，八月署。	王永隆 八月回任，同治二年去。		
			蕭端成 浙江餘姚人，監生。 史昭恭 山東樂陵人，監生。
		亢如垓 四月署，詳密雲巡檢。	竇爾成 江蘇無錫人，監生，八月署。 倪秉鈞 江蘇太倉人，監生，十二月調自南皮管河主簿。

十							吳文煒浙江會稽人，監生。	
年未詳	亢如垓詳密雲巡檢。							
十一	洪治隆奉天甯遠人，監生。							李成章七月署，詳河西務巡檢。
同治元年				張永福五月任。				馮立本山西靈石人，監生，三月任。
二		劉履泰五月署，詳順天司獄。	潘詠惠十一月任。					
三	李重華	繆玉珂			洪恩福		夏恩榮	

	四	五
安徽石埭人，從九品，八月署，後署南路司獄。	洪治隆六月任。	徐祖望浙江仁和人，供事，典史，五月署。董新之浙江山陰人，吏
浙江山陰人，二月任。方珽八月署。章國祥八月署。	集昌齡江蘇上元人，三月任。	
	王永隆十一月回任。王堃十一月任。	薛震九月任。
		洪恩福九月署，六年四月去，詳固安典史。
署，詳固安典史。		
浙江海甯人，監生。李振樞雲南太和人，監生。		
	劉履泰十二月署，詳順天司獄。	

	六	七	八	九
員，十月任。		潘崇禮 浙江山陰人，吏員，未入流，十一月署。	陳廉 浙江山陰人，吏員，十二月任。	
	謝塏 七月署。 賈鳳瑞 山西襄陵人，貢生，五月補。			
	王崇貴 山東甯陽人，監生，四月任，十二年四月去。			
	鄭延慶 安徽休甯人，監生，五月補。			
		董廣慶 山東文登人，監生，五月調。		
	沈士彬 浙江仁和人，監生。		洪恩福 署，詳固安典史。	李振樞 回任。
	姚廷模 山東膠人，八月補。			

十								唐一誠 江蘇武進人，監生，九月任。
十一		王汝衡 三月任。賈鳳瑞 六月回任。					魏邦彦 山東惠民人，監生。李振樞 回任。	
十二		陳炳杰 二月署。賈鳳瑞 七月回任。		方珽 安徽桐城人，監生，四月署，閏六月去。王崇貴 閏六月回任，光緒四年十月卒。				

光緒元年								吴祖惠河南光州人，監生，七月任。
二			董繼顏二月任。潘崇禮二月署。趙英浙江會稽人，監生，十一月任。					
三							毛桂榮浙江餘姚人。李振樞回任。	
四	王槐廷浙江會稽人，五月			苗玉珂十月署，十一月				

	任。李瑞林湖北黃安人，監生，六月署。			去。毛桂榮浙江餘姚人，監生，十一月署，五年九月去。		楊椿浙江仁和人。		孫緒浙江會稽人，吏員，二月署。
五	陳德森安徽定遠人，監生，四月任。			葛其壽安徽懷甯人，監生，九月任。				鄒毓坪山東福山人，四月任。
六		劉濟勛十二月任。		常凌漢七月任。孫緒八月任，詳懷柔典史。				
七	田起濱安徽旌德人，監	耿樹桂山西平定人。		吳廷鉅七月任。				

	九		順治元年	四年前	五
生，九月署。		涿州吏目			
		房山縣典史			
	潘家麟 浙江仁和人，監生。	霸州吏目	王開之 浙江紹興人。		
王恩爵 閏七月署。 葛其壽 九月同任。		文安縣典史	周南 浙江樂清人。		魯含章
	李廷桂 浙江會稽人，監生。	大城縣典史	陳經 福建人。		
	孫鋆 浙江歸安人，監生。	保定縣典史		李和陽 山西霍人。	謝廷佑
		薊州吏目			
		平谷縣典史	劉倫		

				坿郄詔傳。		浙江山陰人，吏員。		
前十一年			沈燦浙江紹興人。沈化龍浙江紹興人。					王廷瑞浙江人。
十一			楊騰秀陝西華州人。		徐俊浙江人。			
十二				周忠浙江人。		楊傑浙江慈谿人，吏員。		
十三					余起祥浙江人。			
十五				顧鵬湖廣人。	喬林陝西富平人。			

十七					古文耀陝西富平人。			
十八						陳榚浙江人，吏員，康熙五年罣誤，十一年叩閽得白，選山東蓬萊典史。		
年未詳		曾廷桂遼東人。王時泰浙江人。陳君顯浙江人。						
康熙元年		楊毓秀扶風人，才而廉。						
二					胡志選			

	三	四年前	六年前	六	七	八
	馬盛浙江會稽人。				余素浙江上虞人。	
浙江定海人。						張鳳起河南安陽人。
						楊發浙江義烏人，吏員。
		焦支江南人。	唐燦陝西富平人。	王繼恩浙江山陰人。		

十				許亮詳傳。				
十二				祝起鳳江南無錫人，遷廣西羅城巡檢。				
年未詳							李郁文浙江紹興人，吏員。張承惠山西人，吏員。沈俊湖廣人。侯王聘山西人。曲盡美山東甯海人，吏	

							員。陳亮山東聊城人，監生。	
十八							吳必信安徽歙人，吏員，十月任，二十一年三月被議。	
二十一				牛際雲山西人。			張雲浙江山陰人，吏員，三月任，二十五年四月去。	
二十二			石在渠隨知州汪惟琦修學宮。	崔月桂山西人。				

二十五							施儁浙江山陰人，監生，閏四月任，三十二年八月因盜被議。	
三十				沈甯一江南石埭人，吏員。				
三十二							張東陽山西忻人，吏員，十二月任，三十八年五月丁憂。	
三十八							徐肇芳浙江山陰人，監生，閏七月任，四十	

	三十九	四十二	五十四年前	六十年前
				董珩浙江人。楊繼晉湖廣人。徐大成
			張恆浙江上虞人，調署固安典史。	
	樊瑞驥浙江山陰人，吏員。			
一年十二月丁憂。		潘錫榮浙江會稽人，監生，四月任。		
				高兆臨山東人，捕盜能，霸昌道旌以匾曰勤慎第一。

浙江山陰人。吴達浙江人。黄世愷浙江人。王錫三浙江山陰人。程調鼎浙江人。張志宏山東滕縣人。黄際喜福建人。錢兆治浙江人。夏坦浙江人。
王廷相陝西人。李學禮山西人。孟紹曾浙江人。王鼐江南人。邵斌浙江人。蔣國相浙江人。楊善政山東人。

	白榮仁山西人。劉公鼎浙江人。朱鼎元江蘇吴人。							
雍正元年	雷振鍌南昌人。							
五	洪時行江南歙人，北三汛。		逯天錦河南虞城人，廩生，北六汛。					
六	程正蒙浙江錢塘人，杜苞苴，民顏堂曰真民父母。							

十二			敖煥北六汛。					
十三	羅起仕浙江仁和人，遷稅課大使。 方輔甯國人。 胡君友景州人，北三汛。							
年未詳	周□□							鮑梓孝江南人。 陳良運江南青陽人。
乾隆元年	吳端起北三汛。 黃維藩		胡君友由北三汛調北六汛。					李克正浙江人。

	大興人，北三汛。							
二	吳峯 河間人，北三汛。 吳敬勝 浙江山陰人，吏員，北三汛，調宛平主簿。（據吳氏譜）		柯成錦 福建安南人，貢生，北六汛。					
三	李汝堂 河南拓城人，北三汛。							
六			李和永 河南光山人，北六汛。					

七	張景衡大興人，北三汛。							
八			劉授江南南陵人，北六汛。					
十	蕭垬廣東人，署。馬錦河南開封人，署。蕭垬復任。							
十一	虞炳固安人，吏員，北三汛。		金燃浙江錢塘人，北六汛。					
十七			陳安世				陳夢龍	吳君泰

			北六汛。葉書雲江蘇嘉定人，北六汛。				浙江海鹽人。	四川三台人。
二十	閻永慧河南彰德人。夏熙由房山巡檢署。蔡士鼎浙江會稽人，北三汛。							
二十二	程廷金安徽歙人。王廷楫江南婺源人，北三汛。							

二十三	顧森江蘇長洲人。							
二十六	汪廷樞江蘇丹徒人，署，北三汛。王湘若江蘇陽湖人，北三汛。	諸紹周浙江錢塘人。	胡怡山東菏澤人。汪廷樞由北三汛調北六汛。					
二十九	白樹賢正白旗人，北三汛。			邵珠江蘇睢甯人。	張顧霖四川潼川人。	鄭蒼育浙江山陰人。		
三十	王灝浙江山陰人，北三汛。	宋聚五山西高平人。						
三十一	孫泰江蘇							

	陽湖人，八月任。							
三十二	劉汝忠 江西廬陵人，六月任。		白樹賢 北六汛，詳北三汛。	李聯桂 湖南長沙人，監生。		沙洪 江蘇通州人，優貢。		
三十三	吴祖吉 湖北蘄水人，北三汛。		張習 山西汾陽人，北六汛。					曹延齡 山西汾陽人。
三十四			錢璜 江蘇嘉定人，北六汛。		羅啓榮 貴州清平人，監生。			
三十五	陳起鴻 浙江山陰人，北三汛。		汪世蘭 江蘇山陽人，北六汛。					
三十八	王凝才						易昌騰	

	山西汾陽人，北三汛。						湖南湘鄉人，吏員。	
四十	席世綬 太湖人，五月任。		馮瑛 浙江山陰人，北六汛。					
四十一	蕭璜 江蘇溧水人，三月任。 袁璣 浙江諸暨人，三月任。							李西銘 河南汝人，監生。
四十二			殷長經 山東滕人，附貢，北六汛。					
四十五	周永熙 江蘇泰州人，北三汛。							

四十六			馮瑛同任，北六汛。					
四十九			姚滂安徽桐城人，北六汛。					
五十	曹瑗浙江海鹽人，北三汛。李元林四川成都人，北三汛。		許長烜安徽歙人，北六汛。					
五十二	任其涵四川銅梁人，三月任。							
五十三	石秉玉浙江會稽人，北三							

	五十四	五十五	五十六	五十七
汛。	聶恭江西新淦人，北三汛。		李心聰山西汾陽人，十二月任。易鑑湖南保靖人，十二月任。	李圻山東鉅野人，六月任。
	曾本廣東鎮平人，北六汛。	張拱宸四川巴人，北六汛。		

五十八	張玉輝廣東大埔人，北三汛。		馬同書山西介休人，北六汛。				
五十九			李培林署，北六汛。				
六十	黃釗北三汛。		李光緒江蘇豐人，北六汛。			甘維定福建侯官人，十一月任。	
嘉慶二年	宋大鈺北三汛。		陳伯北六汛。				
三	陳惠鳴江蘇元和人，八月任。						
四	劉藩浙江會稽人，北三汛。						

五	張士鑑江蘇銅山人，北三汛。		李文英四川華陽人，北六汛。				毛占樞浙江餘姚人，四月回任。周士禧四川南川人，拔貢，八月任。鄭祖德浙江歸安人，九月任。	
六	孫式典十二月由州判署。						黃士楙福建龍溪人，九月任。	
七年前			石在矩					
七	陳惠鳴二月回任。		沈謙江蘇無錫人，監生。				趙宜新江西南豐人，十二	

			王葵初 北六汛。				月任。	
十	王廷舉 貴定人，五月任。 張近讓 安鄉人，八月任。						項三賓 浙江仁和人，六月任。	
十一	龔鏠 宿松人，六月任。							
十二	張鳳岐 南豐人，十一月任。						朱文光 江蘇上元人，四月任。 項三賓 再任。	
十三							劉翰彬 江西泰和人，四月	

	十五	十九
	蔣濟川 江蘇沭陽人，十月任。黃理 十二月由州判署。張鳳岐 十二月同任。	
		金士楷 八月任。黃道心 八月署。沈紹棟 十一月署。
任，十九年六月去。		陳懋松 浙江山陰人，吏員，六月任，七月去。丁振元 江蘇婁人，七月

							任，十二月去。秦厚倫山西長治人，十二月任，二十二年七月去。	
二十	陳選十一月由州判署。張鳳岐十二月再任。				趙扶九四月任。			
二十一			徐位江蘇常熟人，監生，署。					
二十二							陳懋松七月復任，十一月	

							去。 黃甲年 廣東始興人，十一月任，二十三年二月去。	
二十三							孟德淋 安徽人，寄籍陝西孝感廳，十月任，二十四年九月去。	
二十四							朱炳南 湖南湘潭人，十月任，二十五年四月去。	
二十五	劉秉初 新淦人，十二月						范用霖 江蘇婁人，四月	

	道光元年	三	四
任。	潘佺浙江仁和人，五月任。王家駟安徽歙人，八月任。	謝種藍七月由州判署。黃鍾安徽桐城人，七月任。張苑涇陽人，十一月任。	
	譚彝五月署。		陳景先
任，道光元年正月去。	江瀚清安徽桐城人，正月任，十月去。	温桂芳廣東德慶人，十月任，四年五月去。	張鳴穀

	五	七	八
		吴士珍四川遂甯人，貢生。	
五月任。黄克俊七月署。		裘炆十二月署。	李培之七月署。沈鈺十一月任。
廣東南海人，五月任，五年五月去。	徐廣緒江蘇沭陽人，五月任，六年七月去。張鳴穀八月再任，七年正月去。	范兆汶浙江山陰人，正月任，八年二月去。	馬元灝江蘇常熟人，二月任。

十	保瑞滿洲人，十二月任。		杜子和浙江山陰人，供事，署。許鵬程			俞鶴齡浙江山陰人，監生，三月署。		
十一	劉承緒四川璧山人，三月任。							
十二	莊曾培十月由州判署。姚承澤安徽桐城人，十一月任。							
十三	嚴鋐浙江仁和人，三月任。							
十六	劉策勳							

	廣東香山人，十二月任。							
十七	嚴鋐 正月同任。							韓兆霖 浙江人，十一月任。
十八			單溥 浙江山陰人。		馬篤堯 九月署。			
十九							滕開勳 安徽人。	
二十一							沈鏞 浙江山陰人，吏員。	
二十二	陳嵩年 浙江會稽人，四月任。 魯鏞 浙江							

	劉企誠 山陰人，六月任，，四川巴人十一月任。							
二十三			陳治平 浙江會稽人，監生，署。		魯鏞 七月署，詳涿州吏目。師長樂 十一月任。		金鍇 江西人，供事。	
二十四							張敦仁 江蘇人，監生。	
二十五			閔松壽 四川成都人，監生。				吴山壽 江蘇人，監生。	
二十六			任桂生 浙江會稽人。					

二十七					沈鏞 十月署。		宮家鳳 安徽人。 吳山壽 復任。	
二十八	謝熉 十二月由州判署。		魯鏞 署。		張克勤 十月署。			
二十九	劉企誠 二月回任。 賈榮春 江蘇上元人，十一月任。	王炳文 山東陽信人，吏員，五月任，咸豐二年六月去。	何士衡 山東新城人，監生。		陸調鴻 四月署。 彭克恕 十一月任。			馮宸 浙江人，八月任。 楊長春 江蘇人，監生，十一月任。
三十	袁長春 歷城人，二月任。 溫應懷							

	江蘇上元人，三月任。祝錫霖浙江會稽人，三月任。							
咸豐二年		陳湛源浙江秀水人，六月任，六年二月卒。						
三			馮震浙江山陰人，署。					
四			歐陽煒江西安福人，署。	王彥彬署，詳密雲巡檢。	洪恩福三月署。			
五			潘濟安徽婺源人，供事，署。				汪福謙江蘇人，供事。	

六		徐雲梯 浙江山陰人，二月署，七年三月去。	左兆薇 安徽桐城人。				薛文煥 浙江人，吏員。	
七		宋祖植 江西南昌人，供事，三月任，八年八月卒。						
八		蕭榮 江蘇吳人，供事，九月署，九年十月去。			胡芬 三月任。			
九		俞維治 浙江山陰人，監生，十月任，同治元年三月去。			陸調鈞 正月署。		翁世鑑 山西陽曲人。	

十	十一	同治元年	二
	龔儉浙江仁和人，二月任，羅嘉會浙江山陰人，十二月任。		
		周以潤浙江山陰人，吏員，三月署，二年十一月去。	揭文偉
			潘濟四月
洪恩福閏三月再署。李殿颺八月任。	陸調鈞二月再任。丁學洙四月署。沈兆祥十月署。		余鎔二月
		翁步洲浙江人，九月任。	翁世鑑
			陸續梧

	三	四	五	六
				張熙載 河南商城人。
江西南豐人，監生，十二月任，十一年去。				
	王堃 江西東鄉人，監生，四月任。	朱安 奉天承德人，監生，四月任。		
署。	夏恩榮 九月任。			
任。			王朝紀 九月署，詳保定典史。	余廷詔 四月任。
	王朝紀 四川達縣人，三月署，十月去。			
正月復任。				
浙江人，監生，七月任。		劉儀典 江蘇人，監生，四月任。		范樹勳 浙江人，監生，十二月任。

七	八	九	十
史昭恭 七月署。	李毓林 二月任。張雲霑 十二月署。		孫世忠 正月署。田起濱 字錫汝，安徽旌德人。
楊淇 浙江餘姚人，十二月任，八年十二月去。	徐萬壽 山東膠州人，十二月任，光緒三年去。		
		余成德 浙江人，十二月任。	翁世鑑 六月同任。
王宗周 浙江人，吏員，九月任。	黃思度 山東泰安人，監生，十月任。		

十一		陸其昌字葉安，山東歷城人，吏員，十月任，光緒元年七月兼攝縣事十有一日。	孫世忠奉天吉林人，監生，八月署。					董廣慶山東人，監生，四月任。
十二			朱安正月回任，光緒五年移署東安典史。	張起鵬六月代理。				
十三	徐大經浙江山陰人，九月署，光緒二年去。			夏恩榮二月回任。			傅秉鈞浙江山陰人。翁世鑑復任。	王恩爵安徽人，監生，十一月任。
光緒元年				李灝六月署。				高正邦安徽人，供事，七

								月任。
二	馬雲程 山東利津人，五月任，五年去。							楊邦彥 湖北人，監生，閏五月任。
三					鄒毓坪 山東人，二月署。 洪恩福 九月復署。	鄒毓坪 十二月署，四年二月去。		
四					鄭福德 八月署。	白聚貞 山西平遥人，監生，二月任。		
五	王恩爵 安徽桐城人，八月署，六年去。		張大受 十一月由信安巡檢署。	翁步洲 十月署。	李成章 十月署。			

			馬維霖 十二月由東安典史署。					
六	張熙載 河南商城人，四月任。			王序東 四月任。				
七					翁步洲 三月署。 陳德森 十一月署。 葛其壽 十二月署。		徐有光 八月任。	馮可珍 浙江人，監生，十一月任。
八			陳贊元 山東陽信人，五月署。					

九
朱安 奉天承德人，監生。
田起濱 安徽旌德人，監生。
陳懷庭 浙江會稽人，監生。

武進屠寄校